CRACOVIA
TOTIUS POLONIAE
URBS CELEBERRIMA
ATQUE AMPLISSIMA REGIA
ATQUE ACADEMIA
INSIGNIS

„Widok Krakowa" Mateusz Merian 1619 r.

Stary

ADAM BUJAK
KRAKÓW

TEKST
Jerzy Piekarczyk

WYDAWNICTWO
BARAN I SUSZCZYŃSKI
KRAKÓW

Opracowanie graficzne HUBERT HILSCHER

Redaktor ELŻBIETA RADZISZEWSKA

Redaktor techniczny MIROSŁAWA BOMBAŁA

Korekta ALICJA SIKORSKA

ISBN 83-85845-03-8

azywany bywa Florencją północy albo polskim Rzymem. Nie jest ani jednym, ani drugim. Miasta można ze sobą porównywać szukając analogii w ich architekturze, położeniu, wreszcie odwołując się do historii, która je kształtowała, ale one nigdy nie będą tożsame. Dlatego Kraków zawsze pozostanie Krakowem, mimo podobieństw skłaniających do najróżnorodniejszych porównań. Pozostanie sobą dzięki niepowtarzalnej atmosferze i historii, której jest częścią, i tak samo jak ta historia stanowi część zbiorowej świadomości Polaków.

Kraków jest wielkim rozpamiętywaniem, narodowym misterium odprawianym przez polskie społeczeństwo od dziesięcioleci. O takim właśnie mieście jest ten album. Wyłania się ono z mroków historii, mgieł nadwiślańskich i walczy o przetrwanie z rzeczywistością, która najwyższej klasy zabytki pogrążyła w zawiesinie smogu niszczącego i miasto, i ludzi. Fenomen Krakowa polega na tym, że trwa on niejako wbrew wszelkim przeciwieństwom, mimo że uprzemysłowiony świat współczesny niszczy go podobnie jak Wenecję, jak wiele innych starych miast, które są pożółkłymi kartami europejskiej kultury.

Nie szukajmy więc w tym albumie tego, co Kraków zyskał dzięki ostatnim dziesięcioleciom. Nie odnajdziemy tu hut i fabryk, kolorowych pióropuszy dymów, które kiedyś inspirowały poetów — piewców industrializacji. Nie zobaczymy również szarzyzny betonowej pustyni osiedli mieszkaniowych wznoszonych, jak wszędzie, na obrzeżach miasta dla zaspokojenia najzwyklejszych ludzkich potrzeb. Taki Kraków nie wyróżniałby się niczym od innych polskich miast zaśmieconych brzydotą architektury współczesnej. Uroda Krakowa tkwi w jego przeszłości.

Wyjątkowość Krakowa to jego przeszłość i nasz do niej stosunek. Album ten jest próbą przybliżenia nam ducha miasta, a duch ten mieszka w samym sercu Krakowa, zamknięty zielonym pierścieniem Plant założonych na początku ubiegłego stulecia w miejscu średniowiecznych fortyfikacji. Enklawa urbanistyczna, skupiona wokół Rynku, największego placu średniowiecznej Europy i górującego nad Wisłą Wawelu — stanowi materialne i duchowe dziedzictwo przeszłości. To miasto powstało przed wiekami z osad skupionych u stóp wawelskiej skały, aby stać się stolicą państwa polskiego w najwspanialszym okresie jego historii.

Zawiłe dzieje Polski przypominają nam dwie stolice — dawna i obecna, ale Kraków kojarzy nam się z potężną Rzeczpospolitą, podczas gdy Warszawa z dramatem wieków późniejszych. Kraków jest przypomnieniem potęgi i dostojeństwa państwa Jagiellonów, Warszawa — symbolem cierpień spowodowanych tragedią rozbiorów i niezwyciężonej woli przetrwania narodu. Dla każdego Polaka zrekonstruowana warszawska Starówka ucieleśnia przede wszystkim nie zabliźnione jeszcze rany przeszłości, jest wspomnieniem ruin i spalenizny, odległym echem konającego w jej gruzach powstania 1944 roku. Chodząc po ulicach krakowskiego Starego Miasta, wśród domów, które przetrwały stulecia, nie doznajesz takich skojarzeń. Dawna stolica Polski, mimo naporu współczesności, która chciała w niej widzieć nowoczesne miasto przemysłowe, jest wciąż snem o przeszłości. Wpisana w czas, który minął, stanowi wielowiekową spuściznę historii, do której wracamy i którą rozpamiętujemy po latach jak dawną miłość. Siła tego uczucia bierze się z naszych wspomnień i sentymentów, z polskiej świadomości zbiorowej.

Od czasu, gdy w 965 roku Ibrahim ibn Jakub — kupiec żydowski hiszpańskiego pochodzenia, zamieścił wzmiankę o Krakowie, do chwili, gdy w 1978 roku miasto wpisano do rejestru światowego dziedzictwa kultury, minęło dziesięć wieków. Niewiele wiemy o tym, jak wyglądał Kraków wówczas, gdy jego istnienie zauważył podróżnik z krańców Europy. Wiemy jakim jest dziś, gdy na jego kulturo-

wą wartość zwróciło uwagę UNESCO. To wszystko, co zdarzyło się przez owe dziesięć wieków, jest historią Krakowa, gdzie pozostałości minionych stuleci nawarstwiają się jak słoje na pniu sędziwego drzewa, które zniewala swą wspaniałością. W podziemiach krakowskich świątyń znajdziesz romańskie mury, w kamienicach gotyckie i renesansowe stropy i portale, a patrząc w górę zatrzymasz wzrok na barokowych hełmach wież kościelnych. Gdziekolwiek spojrzysz, odnajdziesz wpływy europejskiej kultury, której promieniowanie pochłaniała kiedyś stolica Polski.

„Znajdziesz tu bogate domy kupców włoskich, flamandzkich, francuskich, perskich, tureckich, angielskich... Sprawiedliwe jest tu przysłowie, że gdyby nie było Rzymu, wtedy Kraków byłby Rzymem" – pisał w 1596 roku przebywający tutaj uczestnik delegacji legata papieskiego. Kraków jest wspólnym dziełem wielu narodowości, został stworzony przez Polaków, Włochów, Niemców i Żydów. Pokolenia przekazywały dorobek swoim następcom. I tak mijały lata, stulecia. Patyna wieków pokrywała budowle będące świadectwem zdolności mistrzów, którzy tworzyli tu swoje dzieła dla uświetnienia władców zasiadających na polskim tronie. Nawet wówczas, gdy w 1611 roku Zygmunt III Waza osiadł wraz z dworem w Warszawie, Kraków nadal dzierżył miano miasta stołecznego, królewskiego. Choć zmieniły się realia, tradycja wszystkiemu tutaj nadaje ponadczasowy wymiar.

Od kiedy Wawel przestał być królewską rezydencją, coraz bardziej zaczynał nabierać charakteru narodowego sanktuarium, podtrzymując ducha w Polakach w czasach, gdy właśnie tylko siła ducha zdolna była zachować naród. W tej roli Wawel i Kraków przetrwały do dziś.

Trudno określić dokładnie od kiedy Kraków stał się ośrodkiem narodowego kultu. Czy od koronacji Władysława Łokietka w 1320 roku, po której katedra wawelska otrzymała przywilej koronacyjny królów polskich, czy może jeszcze wcześniej, w XI wieku, gdy w tej właśnie katedrze złożono insygnia królewskie, choć Kraków można było wtedy nazwać miastem prowincjonalnym wobec koronacyjnego i arcybiskupiego Gniezna. Poglądy na ten temat bywają odmienne i różne argumenty dla poparcia swoich racji wysuwają badacze historii wczytani w annały i wiekowe pergaminy. Nie ulega jednak wątpliwości, że XIV wiek stał się początkiem świetności Krakowa, który zaczął zaznaczać swą obecność wśród europejskich stolic. W wawelskiej katedrze spoczywały szczątki biskupa Stanisława, którego kanonizacja w XIII wieku stała się symbolem zjednoczenia państwa polskiego. Kraków, zanim stał się ośrodkiem narodowego kultu, był już miejscem kultu religijnego.

Stuleciem budowniczych można by nazwać XIV wiek. Wznoszono kościoły – Najświętszej Marii Panny, Wszystkich Świętych, Świętego Krzyża, Świętej Anny i Świętego Szczepana, ratusz i pierwsze Sukiennice, mury miejskie i baszty, katedrę i zamek królewski z jego gotyckim pawilonem. Nikt już nie pamięta nazwisk architektów, którzy pozostawili po sobie trwałe dowody doskonałości swego rzemiosła. To wszystko, po wiekach, stało się pomnikiem chwały ostatniego polskiego króla z rodu Piastów. Kraków w owych latach był nie tylko ośrodkiem władzy królewskiej, stanowił również centrum reli-

gijnego życia. W Średniowieczu potęga Kościoła decydowała o znaczeniu miast, a diecezja krakowska należała do najbogatszych w Europie. Z Akademii Krakowskiej – drugiego w Europie środkowej, po praskim, uniwersytetu – jechał do Konstancji Paweł Włodkowic, aby podczas soboru, wiodąc w imieniu króla polskiego spór z zakonem krzyżackim, upomnieć się o prawo każdego narodu do wolnego życia na własnej ziemi, o prawo swobodnego decydowania o własnej przyszłości. W czasach, gdy na krakowskiej uczelni studiował Kopernik, połowa studentów Akademii pochodziła spoza granic Polski, ale to wcale nie znaczyło, że stolica naszego kraju przyciągała jak magnes; to oznaczało przede wszystkim, że była integralną częścią ówczesnego, rozbudzanego przez Renesans, europejskiego kontynentu i jego kultury. Rzeźbiony w lipowym drewnie przez Wita Stwosza ołtarz w kościele Mariackim świadczy nie tylko o ofiarności mieszkańców Krakowa, ze składek których został ufundowany, ale przywołuje z przeszłości postać mistrza z Norymbergi, dla którego Kraków stał się drugą ojczyzną, jak dla wielu innych obcokrajowców – artystów i rzemieślników, którzy upiększali to miasto ofiarowując mu dar swój bezcenny – talent.

Stolica Polski wkraczała w tych czasach w swój Złoty Wiek. Z odległych krajów europejskich przybywali tu ludzie żądni sławy i pieniędzy. Pozostawali na zawsze zniewoleni odmiennością polskiej kultury, gościnnością i tolerancją. Przyciągał ich dwór królewski, bliskość Krakowskiej Akademii, imponowała sława Jagiellonów. Wzmacniali oni krakowskie mieszczaństwo, sięgali po wysokie urzędy, godności i szlacheckie tytuły, stawali się posiadaczami okalają-

cych Rynek kamienic i pałaców. Z czasem tylko nazwiska świadczyły o obcym pochodzeniu ich właścicieli, choć i one nabierały polskiego brzmienia. Przybysze z Zachodu przywozili z sobą nową architekturę, stroje, zwyczaje i upodobania. Za ich właśnie sprawą rozwinęła się w Krakowie sztuka renesansowa, a zapoczątkowane na Wawelu prace budowniczych, tworzących w nowym stylu, niebawem stały się wzorem do naśladowania przez dostojników i zamożnych mieszczan, którzy swe rezydencje upodabniać zaczęli do monarszej. Koniunktura polityczna, ekonomiczna i kulturalna nie miały wtedy sobie równych, ale Złoty Wiek nie miał się powtórzyć już nigdy potem, pozostając raz na zawsze zamkniętą kartą historii.

Przodujący wówczas pod każdym względem Kraków był dość silny, aby wytrzymać konkurencję powstałego w jego sąsiedztwie Kazimierza, które to miasto, z woli ostatniego "Wielkiego" Piasta, miało stać się satelitą stolicy. W kilka wieków później, cesarz Józef II chcąc pomniejszyć znaczenie dawnej stolicy Polski, wyda decyzję lokalizującą na przeciwległym brzegu Wisły nowe miasto – Podgórze. Jednak i Podgórze z czasem zostanie wchłonięte przez Kraków, podobnie jak Kazimierz czy Kleparz, czy jak w czasach późniejszych Nowa Huta, proletariackie miasto zbudowane tym razem w opozycji do – starego, profesorskiego i urzędniczego Krakowa.

Czy nie jest zasługą jakiegoś *genius loci*, że mimo upływu wieków, mimo zabiegów mających pomniejszyć znaczenie Krakowa, zawsze znajdował on dość siły, aby przetrwać, podczas gdy inne, rozkwitające dzięki poparciu władców,

miasta dziś są niewiele znaczącymi punktami na mapie kraju?

Epoka Renesansu odcisnęła się znacząco na historii Krakowa. Może dlatego, że nigdy potem miasto już nie osiągnęło takiego stopnia zamożności, który pozwala na kosztowne przebudowy, na dostosowanie kształtów budowli do prądów i gustów zmieniających się epok. Może to właśnie powolna pauperyzacja pozbawionego stołecznej godności grodu sprawiła, że zachowało się w nim tak wiele pozostałości architektonicznych najświetniejszych lat Odrodzenia. Odstawiony na boczny tor politycznego życia Kraków, z jednej strony – ubożał, lecz z drugiej – stawał się sanktuarium, Mekką pielgrzymów zdążających na Wawel dla pokrzepienia ducha i wiary. Ale sanktuarium było miejscem czci oddawanej przeszłości, Kraków w roli świętego miejsca Polaków przestał być miastem, w którym myśli się o czasie przyszłym. Również królowie polscy myśleli już tylko o nim jak o miejscu swego wiecznego spoczynku. Kiedy Zygmunt III przeniósł się z dworem do Warszawy, dawna stolica zaczęła podupadać. U szczytu Złotego Wieku otwarła się przed nią otchłań zapomnienia, w którą z wolna zaczęła się pogrążać. Zapewne wojny szwedzkie nie byłyby tak rujnujące dla Krakowa, gdyby istniały tu trwałe podstawy ekonomiczne, które innym miastom europejskim pozwalały przetrwać różne dziejowe burze. Ale tamte miasta były silne bogactwem swego mieszczaństwa, a w Polsce mieszczan zepchnęła w kąt szlachta – dumni, lecz często biedni jak mysz kościelna karmazyni. Zarówno Krakowem jak i dawną wawelską rezydencją królów mało kto się interesował i dopiero, gdy szwedzkie wojska splądro-

wały zamek, Rzeczpospolita uświadomiła sobie, że popełniono świętokradztwo. Autor wielu książek o Krakowie doc. dr Michał Rożek twierdzi, że właśnie ograbienie dawnej królewskiej rezydencji zadecydowało o tym, że Wawel zaczęto utożsamiać z Krakowem, że słowo Kraków znowu nabrało ogólnopolskiego znaczenia i wydźwięku. Ale były to już czasy, kiedy coraz bardziej widoczny stawał się zmierzch Rzeczypospolitej.

Upadek insurekcji kościuszkowskiej w 1794 roku przypieczętował losy Krakowa i Polski. Zrabowane z Wawelu klejnoty koronacyjne przetopili niebawem Prusacy na sztabki złota; wspaniałe arrasy Jagiellonów wywieźli do Petersburga Rosjanie, skąd miały powrócić dopiero półtora wieku później.

Kraków przechodził z rąk do rąk, z jednego panowania pod drugie. Odeszli Prusacy, weszli Austriacy, aby opuścić miasto dopiero w 1809 roku, pod wpływem przetaczającej się nad krajem burzy napoleońskiej. Kilka lat trwał Kraków w granicach Księstwa Warszawskiego, ale i księstwo przestało istnieć, gdy zgasła gwiazda Napoleona, a z nią wszystkie, nazbyt często wygórowane, nadzieje. W tamtych latach gorzkich rozczarowań Kraków witał przybyszów wciąż pierścieniem średniowiecznych fortyfikacji; mocno zniszczonych, zmurszałych, ale wciąż świadczących o dawnym znaczeniu miasta. Co prawda, już w 1802 roku austriacki architekt Schmaus uznał je za marnujący się materiał budowlany, ale miasto w ich objęciu trwało jeszcze przez kilkanaście lat i jest paradoksem – nie pierwszym w jego dziejach – że pomysł wyburzenia miejskich fortyfikacji o czterdziestu wieżach, choć zrodził się na wiedeńskim dworze, zrealizowany został dopiero w Wolnym,

Niepodległym i Ściśle Neutralnym Mieście Krakowie
– jak brzmiała nazwa i status grodu przez lat
kilkadziesiąt, zanim po stłumieniu powstania prze-
ciwko Austriakom w 1846 roku niedawna Rzeczpospolita Krakowska została wcielona do mo-
narchii Habsburgów. Do tego momentu stan miasta
był opłakany. Kiedy w 1847 roku Balzac prze-
jeżdżał przez Kraków, widział już tylko – jak
pisał – trupa stolicy.

Z „inwazji burzymurków" wyszedł cało tylko
Barbakan – budowla jaką poza Hiszpanią trudno
dziś znaleźć w Europie – i część murów obronnych z Bramą Floriańską, o których zachowanie
toczyły się zacięte boje na forum rady miejskiej. Od
tamtej pory wyburzono jeszcze niemało w Krakowie, ale rozpadającym się pod kilofami zabytkom
towarzyszyły coraz głośniejsze protesty. Protesty
potrzebne szczególnie pod koniec XIX wicku, gdy
po latach ubóstwa, korzystające z autonomii gali-
cyjskiej miasto zaczęło odrabiać zaległości fun-
dując sobie budowle nadążające za duchem czasu.
Prowadzona wówczas akcja porządkowania Krakowa zmiotła z powierzchni ziemi niejeden cenny,
choć mocno nadgryziony zębem czasu zabytck, na
którego odnowienie nie było pieniędzy, ani ochoty.
Uporządkowano Rynek, ale przy okazji zniknął
z jego powierzchni gotycko-renesansowy ratusz,
po którym pozostała jedynie osierocona wieża.
Pod kilofami padły mury średniowiecznego ze-
społu szpitalnego Duchaków, ustępując miejsca
gmachowi miejskiego teatru, w którego sylwetce
można było się dopatrzeć inspiracji Operą Paryską.
Kraków już nie chciał być zabiedzonym miastem
Galicji, chciał się znów zbliżyć do Europy, jak

przed wiekami. Niewiele dały protesty ludzi zda-
jących sobie sprawę z wartości nawet najbardziej wynędzniałych murów, których metryka pochodzi z odległej przeszłości. Ta właśnie metryka
nabrała szczególnego znaczenia, gdy II wojna
światowa starła z powierzchni ziemi wiele polskich zabytków, niszcząc ciągłość materialnej kultury narodu. Ocalał jednak Kraków, ocalał nieomal cudem. Tym bardziej wzrosła jego wartość
po wojnie, znów stawał się nieomal mistycznym
symbolem Polski, nekropolią królów, która po-
trafiła przetrwać nawet najbardziej nieludzki kata-
klizm XX wieku.

Jednakże fakt, że miasto wyszło nietknięte z piekła
wojny stał się pośrednią przyczyną jego później-
szego dramatu, wynikającego z braku zaintereso-
wania się stanem substancji zabytkowej Krakowa – i nie tylko. Cały kraj odbudowywał stolicę,
szereg innych miast z wolna dźwigało się z ruin.
Kraków był ciągle tym, któremu wojna nie za-
szkodziła, którego nie trzeba odbudowywać, bo
przecież istnieje, więc może czekać lepszych, zasob-
niejszych czasów. Mijały lata i nic nie wskazywa-
ło, że zasobniejsze czasy kiedykolwiek nastąpią.
Dźwignęły się z ruin Warszawa i Gdańsk, powsta-
wały kopalnie i huty, mogło się wydawać, że
stary – mieszczański i profesorski – Kraków
będzie takim sobie skansenem położonym obok
Nowej Huty, tej wizytówki młodego ludowego
państwa, dumy młodej władzy, która niechętnie
lubiła spoglądać w przeszłość. W tym czasie
krakowskie mury poczęły się pokrywać grzybem
i pleśnią, wieże i kopuły kościołów spowijały
gęstniejące z roku na rok przemysłowe zanieczysz-

czenia. W krakowskim powietrzu, które nigdy nie było balsamiczne, coraz więcej było fluoru i dwutlenku siarki. Sztandarowe budowle okresu powojennej industrializacji, o której pisano poematy, zaczęły zagrażać bezpośrednio nie tylko wiekowym budowlom, ale również ludzkiemu zdrowiu. Wreszcie podniesiono alarm, że Kraków ginie. Umieranie miasta i jego zabytków dokonywało się tu na oczach szkolnych wycieczek, które w Krakowie uczyć się miały szacunku dla polskiej historii. Umierało miasto, a przecież cało wyszło z wojny, która zniszczyła tak wiele. Podobnie jak w XVII wieku, gdy trzeba było ograbienia przez Szwedów Wawelu, aby Rzeczpospolita przypomniała sobie o starej stolicy, tak teraz uświadomiono sobie, czym jest Kraków, gdy rozległo się głośne *requiem* dla miasta. Przed oczyma zagranicznych turystów, odkrywających – niekiedy ze zdziwieniem – nad Wisłą więzi łączące ten kraj z zachodnioeuropejską kulturą, zaczęły się rysować dostojne mury, korozja zżerała złote łuski na kopule kaplicy Zygmuntowskiej na Wawelu, skażone wyziewami przemysłu deszcze rozmywały kamienne oblicza świętych na cokołach i maszkarony z attyki Sukiennic.

Wielka akcja ratowania Krakowa złączyła wszystkie siły społeczne. Akcja trwa od 1961 roku, z różnym nasileniem i skutecznością. Przeglądając ten album nie zapominajmy więc o tym, że mamy przed sobą portret schorowanego miasta, na ratowanie którego trzeba miliardów złotych i wielu dziesięcioleci. Taka bowiem jest cena, jaką współczesność musi zapłacić za ocalenie przeszłości, którą nie zawsze potrafi docenić i ochronić.

★

Kraków jest i był miastem, w którym spotykają się różne sprzeczności i trwają ze sobą w pokojowym współistnieniu. Prądy Odrodzenia, napływające niegdyś z Italii, natrafiały tutaj na bastiony rodzimej dewocji, ale asymilowały się z nią bez wielkich konfliktów. Wiek dziewiętnasty uczynił Kraków ośrodkiem ruchów niepodległościowych, a jednocześnie ostoją konserwatyzmu, któremu obce były jakiekolwiek rewolucje i radykalne działania. Postępowe myślenie zderzało się tu z ciasnym światem kołtuna. W tym mieście socjaliści domagali się rewolucyjnych zmian, a konserwatyści, wspierani przez historyków tzw. krakowskiej szkoły historycznej, zalecali pragmatyzm w działaniu politycznym. Pragmatyzm, który nawet po krwawych lekcjach nieudanych powstań – obcy był jednak duchowi polskiemu, tak samo jak wszelki zdroworozsądkowy kompromis.

Na intelektualny kapitał Krakowa złożyły się tradycje włoskiego i niemieckiego mieszczaństwa i żydowska filozofia Kazimierza. To wszystko zostało wykorzystane w XIX wieku, gdy polityczną niemożność i ekonomiczny niedostatek zaczęto rekompensować wartościami duchowymi. Politycznie zneutralizowany Kraków czerpał teraz swą siłę z obecności ludzi wielkiego umysłu i świetnych piór, którzy jak dawniej – ściągali tu z różnych stron podzielonego rozbiorami państwa, z miejsc, gdzie wolnej myśli żyło się znacznie trudniej niż w Galicji. Ta mieszanina różnych usposobień i temperamentów sprawiła, że również temperament krakowian zaczęła cechować odmienność, odbiegająca wszak od warszawskiej energii i żywotności czy zapobiegliwości poznańskiej. Odmien-

10

ność, w której było trochę sceptycyzmu, trochę melancholii, szczypta kpiarstwa, a nawet zwykłej śmieszności.

W tyglu pełnym różnych wyznań, poglądów i idei tworzyła się i dojrzewała specyfika miasta wystarczająco tolerancyjnego dla wszystkiego co nowe, ale jednocześnie zachowującego rezerwę wobec radykalnych i nazbyt gwałtownych przemian. Dlatego Kraków był jednako potrzebny tym, którym służył do odprawiania narodowego nabożeństwa i prześmiewcom, którzy zeń szydzili. W pozbawionym znaczenia politycznego, niezbyt zamożnym, drugim co do wielkości mieście Galicji, którego życie toczyło się leniwie wokół Rynku, w mieście gotujących się intelektualnych żywiołów – ogniskowały się nie spełnione ambicje, a brak perspektyw kamuflowano narodową celebrą, uroczystościami i rocznicami, podczas których częściej odwoływano się do pamięci umarłych niż żywych. W tym celebrowaniu przeszłości było coś niezwykle polskiego, ale jakże się temu dziwić, skoro działo się to wszystko w najbardziej polskim mieście, w tej części zaborów, gdzie polskość nie była cnotą zakazaną.

Stanisław Koźmian pisał w 1875 roku, że każdy krakowianin wygląda tak, jakby na jego barkach spoczywały losy Europy.

Michał Bałucki w tym samym czasie uważał, że: „Opatrzność i poeci skazali to miasto grobów na urnę pamiątek i popiołów".

Pozbawione stołecznej funkcji, zepchnięte na margines politycznego i gospodarczego życia, miasto tworzyło sobie funkcje zastępcze – naukowe, kulturalne, kościelne. Nie bez przyczyny w Krakowie szczególne znaczenie przypadało humanistyce, idealnie przystającej do miejsca zwanego stolicą polskiego ducha, podczas gdy w zasobnym Lwowie, pierwszym mieście Galicji, rozwijały się nauki ścisłe i techniczne.

Stanisław Wyspiański, dla którego Kraków był Polską, nie omieszkał ironizować, że najlepiej zmienić go w muzeum, burmistrzem uczynić dyrektora Muzeum Narodowego, domy opróżnić, przy rogatkach pobierać opłaty za wstęp, a samo miasto przenieść do Zakopanego, bo tam przynajmniej zdrowe powietrze.

Adolf Nowaczyński szydził, że w Krakowie wydarzenia, działania i inicjatywy są albo pozorne, albo nieautentyczne, albo wręcz groteskowe, Stefan Żeromski – że liczy się tu bardziej zewnętrzny pozór niż istotne wartości. Stanisław Estreicher pisał w 1932 roku o krakowianach, że każdy z nich „zarówno wzięty w odosobnieniu jak i w tłumie, ma daleko większą skłonność do krytycyzmu i sceptycyzmu, aniżeli to się spotyka w reszcie Polski. Jest chłodny i rzadko oklaskujący to, co widzi w teatrze i słyszy na wiecu. Ma wysokie wymagania i niełatwo się czymś raduje". Witold Gombrowicz zaś nazywał wprost Kraków miastem pretensjonalnej tandety intelektualnej.

„Wszędzie są jakieś obchody, ale rozpuszczają się w strumieniu życia – tutaj, miasto żyło nimi jak narkotykiem. Nigdzie tyle co w Krakowie nie żyło się wyobraźnią, a tak mało realnie" – pisał Tadeusz Boy-Żeleński spoglądając na Kraków z perspektywy spędzonych w nim lat.

A czy znasz ty te ulice,
Puste w nocy, brudne we dnie,

Gdzie się snują eks-szlachcice
Tępiąc smutne dni powszednie

– śpiewano w „Zielonym Baloniku", kabarecie lite-
rackim, który w 1905 roku mógł istnieć w Krakowie i tylko w Krakowie, tak jak w przeszło pół
wieku później, żadne z miast nie mogło być
odpowiedniejszym dla „Piwnicy pod Baranami",
kabaretu równie niepowtarzalnego jak „Zielony
Balonik".

Nic w tym mieście nie było tak, jak gdzie indziej.
Pory roku odmierzały obrzędy: Wszystkich Świętych, nabożeństwa majowe, Boże Ciało, wianki
puszczane Wisłą, Lajkonik, Emaus, Pasterka...
W Krakowie najdłużej chodziło się w szlache-
ckim kontuszu i przy szabli, w czamarze, w mło-
dopolskiej pelerynie. Nigdzie, przemierzająca
Drogę Królewską z Wawelu do Rynku procesja
w dniu Bożego Ciała nie wygląda tak okazale
i nigdzie profesorowie odziani w togi i gronostaje
nie prezentują się równie dostojnie, jak w inaugu-
rującym rok akademicki pochodzie, który zdąża
zaułkiem między starym a nowym gmachem
uniwersytetu.

Fascynacja historią, owo ciągłe chwalone lub wy-
szydzane oglądanie się na przeszłość, pozwoliły
znieść ponad stuletnią niewolę i krzepić naród, dla
którego Kraków był i jest symbolem ciągłości
polskiej historii. Papież Jan Paweł II, niegdyś krakowski metropolita, nazwał go „syntezą wszystkiego
co polskie, summą polskich dziejów". W Krakowie dzisiejszym również odnajdujemy pozostałości
tamtej atmosfery sprzed dziesiątków lat, atmosfery
spokojnego, nieco sennego miasta, w którym
wspomnienia cesarsko-królewskich czasów prze-

chodzą z pokolenia na pokolenie i w którym realia
obecnej Polski wtapiają się bezwiednie, nieraz wbrew
sobie, w atmosferę tamtej, bezpowrotnie minionej
epoki.

★

– Pokażę ci Kraków, jakiego nigdy nie zobaczysz.
Takimi słowami zwraca się zwykle autor tego albumu
do córki, proponując jej wspólne poznawanie miasta.
Takiego miasta, jakie sam widzi, miasta, które go
urzekło i dlatego odkrywa je wciąż na nowo przed
sobą samym i przed innymi.

– Pokażę ci Kraków, jakiego nigdy nie zobaczysz
– mówi Adam Bujak każdemu z nas. Prowadzi
nas przez to miasto i proponuje oglądać je na
nowo, ale nie zobojętniałym okiem mieszkańca
czy zmęczonego zwiedzaniem turysty. Proponuje
nam wspólną zadumę nad pięknem architektury,
nad sztuką, niepowtarzalnością obyczajów, nad tradycją i wiecznością.

Kraków widziany obiektywem Adama Bujaka nie
ma w sobie kolorystyki barwnych pocztówek,
na które patrzymy zachwyceni fotogenicznością
miasta. W rzeczywistości nad Krakowem rzadko
pojawia się intensywny błękit nieba, nie ma
lśniących nowością elewacji odremontowanych
kamieniczek, bo świeże tynki po kilku tygod-
niach szarzeją w krakowskim powietrzu; pokry-
wają się liszajami zacieków, bowiem kwaśne
deszcze skutecznie rozmywają zarówno farby
jak kamienie. Oglądamy tutaj Kraków w różnych
porach roku i dnia; w dżdżyste popołudnia, za-
mglone przedświty i noce, w których sylwety bu-

dowli i zaułki wydobywa z czerni sztuczne światło reflektorów.

Dla Bujaka fotografowanie Krakowa ma w sobie coś z misterium – oddaje nim hołd przeszłości, którą przypominają poczerniałe mury zabytkowych kościołów i kamienic, do której nawiązują obrzędy i ceremonie nie spotykane nigdzie w Polsce w takiej różnorodności. Fotografując Kraków kłania się Czasowi, który okrył patyną mury i zatrzymał się pod sklepieniami świątyń. Nieprzypadkowo motywy sakralne znajdują w tym albumie szczególne miejsce. Łączy się z tym osobista fascynacja autora życiem religijnym i specyfika miasta związanego z tysiącletnią chrześcijańską tradycją narodu. Ludzkie mrowie zgromadzone na Rynku, aby witać papieża, zbliżenie cierpiącej twarzy czarnego Chrystusa z ołtarza wawelskiej katedry, sarkofagi królów i spokój na obliczu królowej Jadwigi, wyrzeźbionej w białym kararyjskim marmurze – to jest również pewna synteza tradycji polskiej.

Adam Bujak pokazuje nam miasto wyrwane z naszej współczesności, raczej skupia swą uwagę na tym, co odziedziczyliśmy z przeszłości. Ukazuje Kraków zapatrzony w swą przeszłość, urzeka go i intryguje pełna dostojeństwa starość tego miasta, przypominająca pooraną zmarszczkami twarz sędziwego całowieka, z której odczytywać można zawiłe koleje ludzkiego losu.

Twórczości fotograficznej Adama Bujaka towarzyszy zafascynowanie światem minionym i nie jest to obsesja, ale jakieś urzeczenie czasem, którego już nie ma, a tylko zostały po nim kamienne sarkofagi, budowle, dzieła sztuki i pamięć... Miasto, stojące jak

Kraków na krawędzi katastrofy ekologicznej, stawia przed wrażliwym obserwatorem dręczące pytanie o los dziedzictwa naszej wspólnej przeszłości, niszczejącej w dymach przemysłowych podobnie jak zieleń krakowska, wawelskie wnętrza, jak stare kamienne attyki.

Z pozbawionych rysów twarzy posągów zdobiących katedrę wyczytać można to samo, co z raportów ekologów stwierdzających w krakowskim powietrzu coraz więcej związków chemicznych szkodzących człowiekowi i dziełom, które stworzył. Wrażliwy artysta patrzy na Kraków z podobnym uczuciem, jak to, które towarzyszy nam przy zwiedzaniu Wenecji, gdy mamy świadomość, że chodzimy po mieście, które w przyszłości może pogrążyć się w morzu, bezpowrotnie.

Komponując swój czwarty z kolei album o Krakowie, Adam Bujak dotarł z kamerą w miejsca zgoła niedostępne lub dostępne tylko nielicznym. Aparat fotograficzny stał się instrumentem optycznym ofiarowanym nam po to, abyśmy mogli zwrócić uwagę na to wszystko, czego bez niego nie dostrzeglibyśmy wcale.

Na najstarszym zdjęciu zamieszczonym w tym albumie utrwalił Bujak krakowskiego metropolitę Karola Wojtyłę, jak kroczy w procesji obok prymasa Stefana Wyszyńskiego. Czy mógł przewidzieć, że kilkanaście lat potem sfotografuje chwilę, w której Jan Paweł II wkładać będzie relikwiarz ze szczątkami błogosławionej królowej Jadwigi w ołtarz katedry wawelskiej? Typy krakowskie wypatrzone przez Bujaka w tłumie podczas Emaus czy w orszaku Lajkonika, po latach staną się fotograficznym wspomnieniem przeszłości, takim samym jak postać nieży-

jącego już krakowskiego dorożkarza Kaczary, uwiecznionego w „Zaczarowanej Dorożce" Gałczyńskiego i na zdjęciu zrobionym przez Bujaka przed kilkoma laty.

Adam Bujak podpatruje Kraków spod hełmów wież kościelnych, z zakamarków strychów i poddaszy, z rusztowań oplatających kamienice, dociera do nie znanych zaułków i miejsc, których istnienia nie dostrzegamy zdążając ulicami miasta częściej wpatrzeni w bruk niż w szczyty domów. Dla potrzeb tego właśnie albumu popatrzył na swoje miasto z wysoka, dokonując jako pierwszy zdjęć z pokładu wynajętego specjalnie samolotu...

Czwarty album o Krakowie – choć inny od poprzednich – powstał z tego samego uwielbienia rodzinnego miasta, którego urodę fotografik potrafi dostrzec nawet pośród zaniedbania i szarzyzny. Jest jak artysta-malarz, który co kilka lat powraca do swego ulubionego tematu, przetwarza go na nowo,

patrząc nań oczyma coraz bardziej dojrzałego artysty. Kraków skłania do rozmyślań o życiu i przemijaniu. Bujak chce zatrzymać w kadrze część własnych uczuć i doznań, próbuje uchwycić ulotną atmosferę miejsc, pragnie ocalić przed niszczącym działaniem czasu tę jedną chwilę, która więcej się już nie powtórzy.

„Nie wyobrażam sobie życia bez Krakowa, choć wiem, że są na świecie miasta równie piękne i piękniejsze. Kraków jest dla mnie syntezą historii i współczesności. Ale pragnąłbym pamiętać i przypominać każdemu, że Kraków to nie tylko stara i nowa architektura, ale przede wszystkim klimat stworzony przez ludzi" – powiedział kiedyś w wywiadzie autor tego albumu.

Jego Kraków trwa. Przeżywał różne koleje losu i zmienne koniunktury. Niszczał i regenerował się jakby wspomagany siłą, której źródeł do końca nikt nie jest w stanie zgłębić.

Czas płynął i płynie tu wolniej, ale dzięki temu można go przeżywać w sposób
bardziej dojrzały, z refleksją, jakiej sprzyja możliwość obcowania
na co dzień z przeszłością, która jest historią przemijania
ludzi, idei i namiętności, i która nas uczy,
że palące się zbyt wielkim płomieniem
ogniska, szybciej stają się
garścią popiołów.

PANORAMY

Kraków wyłania się
z mgieł nadwiślańskich
i mroków historii.
XIII-wieczny plan
zabudowy miejskiej
przetrwał nie zmieniony
do dnia dzisiejszego.

1. Stary Kraków –
urbanistyczny zespół zabytkowy
klasy zerowej

4. Pozostałości średniowiecznych fortyfikacji miejskich, wyburzonych na początku XIX w.

Brama Floriańska — jedna z siedmiu bram średniowiecznego Krakowa oraz Barbakan – gotycka budowla

5. Zielony pierścień Plant
zastąpił zasypaną fosę miejską
i wyburzone mury obronne.
Kościoły św. św. Piotra i Pawła
i św. Andrzeja
położone wzdłuż ul. Grodzkiej –
tzw. Drogi Królewskiej

6. Kolegiata św. Anny
i fragmenty zabudowań
uniwersyteckich

7. Miasto widziane
z wawelskiego wzgórza ▶

9. Kazimierz, niegdyś odrębne miasto założone
przez Kazimierza Wielkiego, z czasem stało się częścią Krakowa

10. Widok z Wawelu na Kazimierz; w dali
gotyckie kościoły św. Katarzyny i Bożego Ciała ▶

KRAKOWSKA NOC

Kiedy pustoszeją ulice,
ożywia się wyobraźnia...

11. Wawelska gra świateł

12. Dominująca nad Rynkiem Bazylika
Najświętszej Marii Panny, zwana kościołem Mariackim,
była głównym kościołem mieszczan krakowskich.
Najstarsza jej część – prezbiterium – powstała
w połowie XIV w.
Ze szczytu wyższej gotyckiej wieży,
co godzinę, rozlega się od stuleci grany na trąbce hejnał,
którego tradycja sięga czasów najazdów tatarskich.

14. Sukiennice
i Wieża Ratuszowa –
po deszczu

16. Pomnik Adama Mickiewicza na Rynku, zaprojektowany
przez Teodora Rygiera i romański kościół św. Wojciecha

20. Krypta wielkich Polaków na Skałce. Sarkofag Stanisława Wyspiańskiego — poety, malarza i dramaturga natchnionego Krakowem

21. Kopuła kościoła
św. św. Piotra i Pawła
wyłania się z zieleni Plant.
Kościół był pierwszą
w Krakowie budowlą,
wzniesioną z przeznaczeniem
dla zakonu oo. Jezuitów
w latach 1597–1630

22. Figury apostołów przed fasadą
kościoła św. św. Piotra i Pawła

25. Pomnik Mikołaja Kopernika dłuta Cypriana Godebskiego
przed uniwersytetem,
na którym niegdyś studiował wielki astronom

26. Kościół
oo. Bernardynów
zbudowany
w latach
1670–1680

27. Kościół
Bożego Ciała
na Kazimierzu,
ufundowany przez
Kazimierza
Wielkiego

28. Klasztor pp. Norbertanek na Zwierzyńcu, ufundowany w XII w.
Obecny jego wygląd jest wynikiem przebudowy w XVII w.

29. Stary obrzęd we współczesnej iluminacji –
„Wianki" nad Wisłą

PLANTY

Pas zieleni
ożywiający stare mury
to Planty.
Założono je
po wyrównaniu terenu
w miejscu dawnej fosy
i zburzonych
na początku XIX wieku
średniowiecznych
murów obronnych

30. Teatr Miejski
im. Juliusza Słowackiego –
przed stu laty
jego twórcę
Jana Zawiejskiego
zainspirował
gmach Opery Paryskiej

32. Fragment miejskich fortyfikacji – Brama Floriańska,
dawna reprezentacyjna brama miasta królewskiego, widziana z Barbakanu

WAWELSKIE WZGÓRZE

Kamienne
dziedzictwo przeszłości,
świadek tysiącletniej
historii narodu polskiego.
Najpierw zbudowano tu
kamienne palatium,
potem zamek gotycki,
wreszcie renesansową
królewską rezydencję,
sławną i naśladowaną
w całej Polsce.

34. Katedra na Wawelu –
kościół koronacyjny królów polskich.
Obecną świątynię poprzedziły
dwie budowle romańskie.
Wznoszenie pierwszej katedry
rozpoczęto już na początku XI w.

35. Wnętrze katedry wawelski
Zakończenie procesji
ku czci św. Stanisława,
która co roku – zgodnie
z wielowiekową tradycją –
przemierza
drogę ze Skałki na Wawel

36, 37. Witraże Józefa Mehoffera
w katedrze

38. Włócznia św. Maurycego w skarbcu katedralnym.
W 1000 r. cesarz Otto III wręczył ją Bolesławowi Chrobremu
uznając niezawisłość polskiego władcy

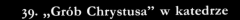

39. „Grób Chrystusa" w katedrze

40. Siedemdziesięciolecie Niepodległości Polski – 11 listopada 1988 r. – główne uroczystości w katedrze

43. Nagrobek Zygmunta Augusta – ostatniego z Jagiellonów – w kaplicy Zygmuntowskiej, nazwanej w XIX w. „perłą Renesansu na północ od Alp"

44. Nagrobek króla Władysława Jagiełły
– założyciela dynastii Jagiellonów – pochodzi z 1 poł. XV w.

45. Władysław Jagiełło. Nagrobek należy
do największych osiągnięć rzeźby gotyckiej

46. Królowa Jadwiga. Fragment nagrobka,
który w 1902 r. wyrzeźbił Antoni Madeyski

dla umieszczenia w nim szczątków królowej,
wydobytych z grobu przy ołtarzu głównym.

W 1987 r. po beatyfikacji królowej,
szczątki złożono w ołtarzu bocznej nawy

47, 48. Sarkofagi królewskie w krypcie św. Leonarda, w najstarszej części katedry, jednym z najcenniejszych wnętrz romańskich w Polsce. Zwyczaj chowania zwłok królewskich w katedrze datuje się od 1333 r.

49. Najstarsze budowle w podziemiach zamkowych – rotunda Najświętszej Marii Panny

57. Namiot turecki z XVII w., według tradycji
zdobyty przez Jana III Sobieskiego pod Wiedniem

58. Pokój w „Kurzej Stopce" z XIV w.

62. Zamek królewski podpatrzony
z wieży kościoła oo. Bernardynów

RYNEK GŁÓWNY

Jeden z największych
placów miejskich
średniowiecznej Europy.
Wytyczony w 1257 roku
do dziś zachował
swój charakter
centrum administracyjno-
-handlowego.

64. Sukiennice
– kramy handlowe z XIII w.
odbudowane po pożarze
w stylu renesansowym.
Dzisiejszy wygląd uzyskały
w 2 poł. XIX w.
po odrestaurowaniu przez
architekta Tomasza Prylińskiego

65. Kopuła kościoła św. Wojciecha
i Wieża Ratuszowa
– pozostałość po krakowskim ratuszu
rozebranym w 1 poł. XIX w.

66. Widok z okna kamienicy w Rynku

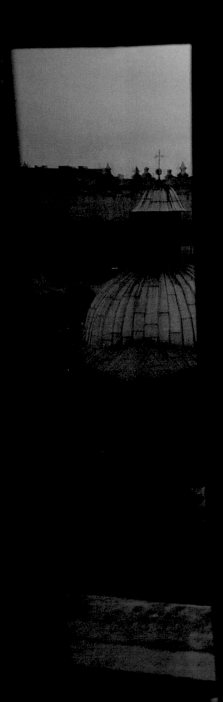

67. W oczekiwaniu
na przejazd kopii
jasnogórskiego obrazu
Najświętszej Marii Panny

68. Plac Mariacki z gotyckim kościołem św. Barbary.
Istniejący tu cmentarz miejski zlikwidowano na początku XIX w.

ŚWIĄTYNIE

Ze względu
na ilość kościołów
nazwano Kraków
polskim Rzymem,
ale przyciągał ku sobie
ludzi różnej wiary.

72. Patrząc z dachu kościoła
św. św. Piotra i Pawła
na Kopiec Kościuszki

73. W 1477 r. przyjechał z Norymbergi
do Krakowa Wit Stwosz,
aby na zamówienie rajców miejskich
wyrzeźbić ołtarz główny
w kościele Najświętszej Marii Panny,
zwanym Mariackim.
W ciągu dwunastu lat
zrealizował największe
dzieło swego życia

74. Fragment środkowej
części ołtarza

75. Rzeźbiony przez
Wita Stwosza krucyfiks
w ołtarzu
nawy południowej
kościoła Mariackiego

76. Renesansowe cyborium
z 1 poł. XVI w.
w kościele Mariackim

77. Orzeł nad
kaplicą Loretańską
w kościele Mariackim ▶

78. Bogactwo
szat liturgicznych.
Ornat z końca XV w.
w skarbcu tego kościoła ▶

79. Barokowe wnętrze kościoła oo. Bernardynów zbudowanego w latach 1670–1680 w miejscu zniszczonej przez Szwedów świątyni. Każdego roku odbywają się tu koncerty festiwalu „Muzyka w starym Krakowie"

80. Panorama „Grobu Chrystusa" w kościele oo. Bernardynów, namalowana w 1911 r. przez Tadeusza Popiela

81. „Św. Anna Samotrzeć" w tym kościele. Gotycka rzeźba z XV w. nosi cechy warsztatu Wita Stwosza

86. Fragment ołtarza w kościele św. Katarzyny.
Kościół, który ufundował w 1363 r.
król Kazimierz Wielki dla zakonu Augustianów,
zachował najczystsze formy stylu gotyckiego,
odnotowany jest w światowych wykazach zabytków

87. Uroczystości tysiąclecia
chrztu Rusi Kijowskiej
w tym kościele

90. Nawa główna kościoła Bożego Ciała. Ufundowany przez Kazimierza Wielkiego był głównym kościołem miasta Kazimierza i należy do najpiękniejszych zabytków sztuki gotyckiej w Polsce

94. „Memento mori".
Ciała zakonników w podziemiach
klasztoru oo. Reformatów.
Mikroklimat krypty
pobudowanego
w XVII w. kościoła
spowodował naturalną
mumifikację zwłok

95. Kaplica Drogi Krzyżowej ▶
w zakątku ul. Reformackiej

97. Wnętrze starej synagogi
przy ul. Szerokiej na Kazimierzu.
Zbudowana w XVI w.
jest najcenniejszą pamiątką
na terenie dawnego żydowskiego miasta

98. Modły w synagodze Remuh,
ufundowanej w 1553 r.
Grobowiec rabina Remuh –
syna fundatora, znajduje się
na cmentarzu obok synagogi

CMENTARZE

Przypomnienie czasu,
który przeminął.
Najstarszy cmentarz,
założony w 1802 roku
na terenie
podkrakowskich Rakowic,
ustępuje wiekiem tylko
warszawskim Powązkom.

99. Cmentarz Rakowicki

100. Dzień Zaduszny na cmentarzu Rakowickim. Grób rodziny Wojtyłów

101. Cmentarz wojskowy
w nowej części cmentarza
na Rakowicach

102. Cmentarz żydowski
przy ulicy Miodowej
– pamiątki
po mieście żydowskim
na Kazimierzu

103. Miasto żywych i umarłych ▶
– nowy cmentarz w Podgórzu

NAUKA I SZTUKA

Nazwano Kraków
stolicą polskiego ducha
– i tak już zostało.
Od kilku stuleci
jest centrum nauki
i kultury polskiej.

104. Wejście na krużganki Collegium Maius

105. Skarbiec uniwersytecki

106. Najstarsze berło uniwersyteckie pochodzi z XV w.

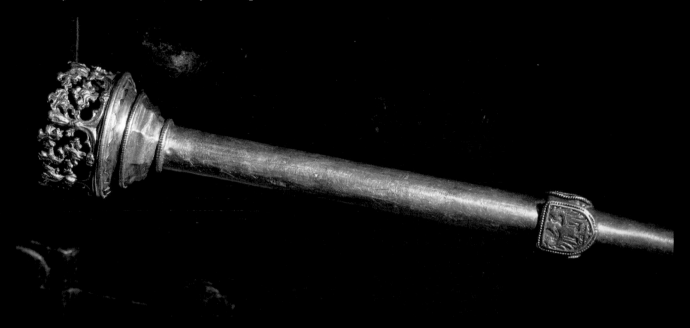

107, 108. Globus nieba i astrolabium z połowy XV w. oraz kopia instrumentu astronomicznego jakiego używał Mikołaj Kopernik, zbiory Muzeum Uniwersyteckiego

III. Inauguracja
roku akademickiego
na Uniwersytecie
Jagiellońskim

112. Doktorat
honoris causa
Uniwersytetu Jagiellońskiego
dla Karola Wojtyły,
podczas drugiej pielgrzymki
papieża do Polski

113, 114. Meble z mieszczańskiego domu. Srebrny kur,
według tradycji, ofiarowany Bractwu Kurkowemu

przez ostatniego z jagiellonów – Zygmunta Augusta
w zbiorach Muzeum Historycznego

115–117. Naczynia pochodzące z wykopalisk na terenie Nowej Huty.
złote kolczyki scytyjskie z okolic Kijowa i miecze z epoki brązu
w zbiorach Muzeum Archeologicznego

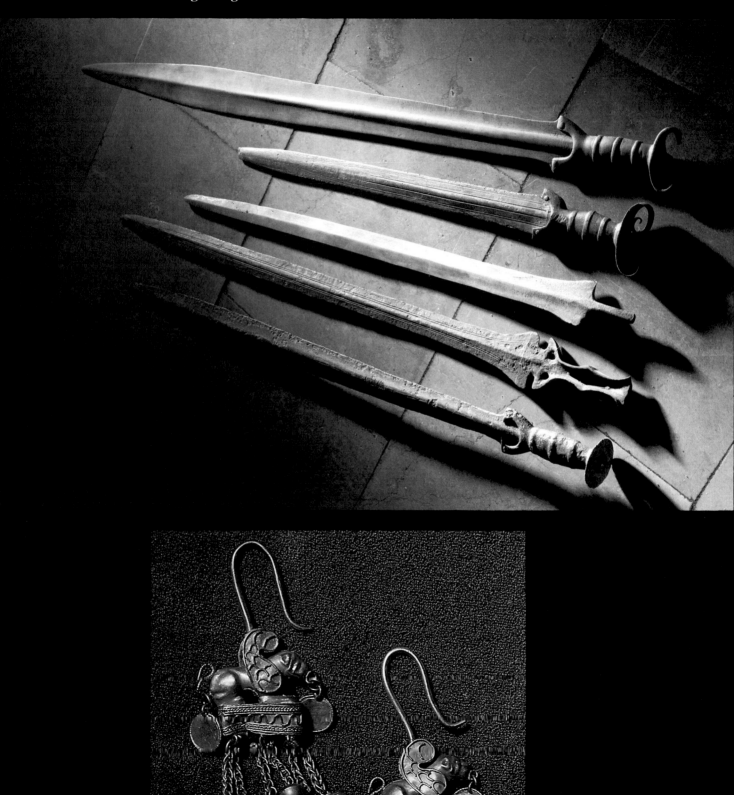

KRAKOWIANIE

Zepchnięte na margines
politycznego życia
miasto stworzyło sobie
funkcje zastępcze:
naukowe, kulturalne
i religijne;
czerpiąc swą siłę
z obecności ludzi
wielkiego umysłu i zalet.

121. Metropolita krakowski
kardynał Franciszek Macharski
w pałacu arcybiskupim

122. Znany na obu półkulach kompozytor Krzysztof Penderecki:
„Jest coś fascynującego w tej mgle krakowskiej, nawet nie wiem
jak ona działa, nawet nie usiłuję tego opisać, bo to daremne.
Co mogę dodać nowego do słów już wypowiedzianych przez ludzi,
zafascynowanych Krakowem jak ja?"

123. Współtwórca sukcesów Teatru Starego
reżyser teatralny i filmowy – Andrzej Wajda

124. Tadeusz Kantor artysta malarz, twórca teatru Cricot.
„Nareszcie mam to, czego mi trzeba było: życie indywidualne.
Moje! A przecież stokroć indywidualne. Mogę wprowadzić je na scenę..."
Jeszcze niedawno był wśród nas.

125. W swej krakowskiej pracowni znany
w świecie autor powieści science-fictions –
Stanisław Lem wyprzedzał ludzką wyobraźnię

BARWY FOLKLORU

Koloryt tego miasta
zawsze tworzyły historia,
obyczaje i ludzie.

128. Pochód Bractwa Kurkowego
wyrusza sprzed Barbakanu

129. Przekazywanie
insygniów władzy
w Bractwie Kurkowym

130–132. Każdego roku, od wieków,
w Wielkim Poście, przez kościół oo. Franciszkanów
przechodzi procesja Arcybractwa Męki Pańskiej

NA RATUNEK MIASTU

Największym wrogiem
Krakowa
jest skażone powietrze.
Aby ocalić
zabytki przeszłości
trzeba miliardów złotych
i wielu dziesięcioleci.

141. Tak wygląda
z wapiennych skał Krzemionek
ratusz na Kazimierzu
i fragment wawelskiego zamku

142. Patrząc w stronę
klasztoru Norbertanek
i Kopca Kościuszki

143. Stary Kraków
– miasto wpisane
w rejestr światowego
dziedzictwa kultury... ▶

144. ...i jedno z najbardziej zagrożonych ekologicznie miast Europy

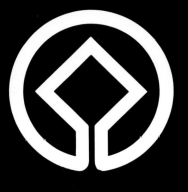

W ROKU 1978
UCHWAŁĄ KOMITETU
DZIEDZICTWA ŚWIATOWEGO UNESCO
ZESPÓŁ
ARCHITEKTONICZNO-HISTORYCZNY
KRAKOWA
WPISANY ZOSTAŁ NA LISTĘ
PIERWSZYCH DWUNASTU
NAJCENNIEJSZYCH
OBIEKTÓW
ZABYTKOWYCH
ŚWIATA

Old CRACOW

Though sometimes called the Florence of the North, or Polish Rome, Cracow shall always be Cracow, no matter what comparisons are made about its similarities to other places. Cracow is a city where memories are hoarded and mysterious national rites are performed, and this is exactly the sort of city this album of photographs is about. The amazing phenomenon of Cracow is its very existence, continuing despite all adversities such as the industrialization of the modern world, destroying it in the same way as Venice and a host of other ancient cities which have marked their names in the history of European culture.

Ten centuries passed from 965, when Ibrahim-ibn-Yaqub, an envoy from the Caliph of Cordoba, put Cracow's name in the records, till 1978, when the city was included in the UNESCO World Cultural Heritage List. Everything that happened in the meantime is the history of Cracow. All the relics of the past centuries which have accumulated here astound with their magnificence. You may find Romanesque walls in the vaults of Cracow churches, Gothic and Renaissance ceilings in the old houses, and if you raise your eyes you will see Baroque cupolas of church towers. Whatever you look at, you can trace the impact of European culture, which radiated upon Cracow at the time it was the capital of Poland. "You will find rich houses of Italian, Flemish, French, Persian, Turkish and English merchants here... The local proverb saying: 'if Rome had not existed, Cracow would have replaced Rome' is justified", wrote one of the papal legate's attendants staying in Cracow in 1596. It is hard to tell exactly when Cracow became a unique object of national cult: whether it began with the coronation of Władysław the Short in 1320, after which the Wawel Cathedral retained the privilege of being the coronation place for all Polish kings; or still earlier — in the 11th century, when the regalia were deposited in this cathedral; Cracow then being a mere provincial town as compared with Gniezno — a site of coronations and a seat of an archbishopric. No doubt it was the 14th century that made Cracow flourish. Already the capital city, it began to mark its presence among other European capitals. The Wawel Cathedral had already housed the relics of Bishop Stanisław, whose 13th-century canonization was symbolic of the unification of the Polish state. Even before it became a place of national cult, Cracow had been a religious spot.

The 14th century was an age of builders. They raised churches, the town hall and the first cloth hall in the Marketplace, the city walls and bastions, the cathedral and the royal castle. At that time Cracow was both the royal and religious centre. In the Middle Ages the importance of a town was determined by the power of its church; the Cracow diocese was one of the richest in Europe. It was the Cracow Academy, opened as second in Central Europe after the University of Prague, which sent a law scholar, writer and statesman Paweł Włodkowic to the Council at Constance (1414—1418). On behalf of the Polish king (in conflict with the Teutonic Order), he spoke in defence of every nation's right to live in freedom in their own land and to determine their own future. At the time Nicolaus Copernicus studied at the Academy, half of the students were from other countries.

As the capital of Poland, Cracow was then entering its Golden Age. People came here from far away countries in Europe in search of money and fame and stayed forever, enchanted with a culture so different from their own, as well as with the hospitality and tolerance of Poles. Attracted by the royal court and the nearby Cracow Academy, impressed by the fame of the Jagiellon dynasty, they increased the ranks of Cracow burghers, reached for top posts and noble titles, became owners of houses and palaces. As time passed, only their names revealed their foreign origin, and these also were gradually Polonized. Newcomers from the West imported their fashions and habits, likes and dislikes. Never again did the town amass the wealth allowing for such costly renovations, as in the Renaissance. It is quite possible that the preservation of so many monuments of the splendid Renaissance architecture in Cracow was due to the slow process of pauperization which followed the transfer of the capital in 1596. Left on the side-road of politics, Cracow became a mecca for pilgrims, whom the Wawel inspired with courage and faith. But, as it became a sanctum for Poles, it ceased to be a town with future prospects. Even the Polish kings started to treat it as no more than their necropolis.

Since 1596, the year King Sigismund III Vasa moved his court to Warsaw, the former capital started to wither. In the hey-day of its Golden Age, a chasm of oblivion opened for the town, which began to sink slowly into it. The future of Cracow and the whole country was eventually settled by the fall of the 1974 Kościuszko Insurrection and the national uprising against Russia and Prussia. In a short time the Prussians melted the gold coronation jewelry they had robbed from the Wawel into ingots and the Russians took away the splendid Jagiellonian arrases to St. Petersburg; they were not returned until one and a half century later.

Cracow passed from hands to hands, from one rule to another. When the Prussians left, the Austrians came and stayed in the city until 1809, when the Napoleonic thunder sweeping through our country forced them to leave. For a few years Cracow constituted a part of the Warsaw Duchy. But the duchy, established by Napoleon Bonaparte, ceased to exist when the French emperor's star died out, thus extinguishing all the exorbitant hopes for reuniting Poland partitioned by Prussia, Austria and Russia. Until 1846 Cracow was a free, neutral city, but is was deprived of its independence after an anti-Austrian revolt. Annexed to the Habsburg monarchy, it belonged to it until 1918, the year Poland regained independence.

The Second World War wiped out a great number of Polish historic monuments from the earth's surface and broke the continuity of the nation's material culture development. Cracow was miraculously saved. This fact made the city seem even more precious in the post-war Poland and elevated it to the rank of a mythical symbol of the nation — the necropolis of its kings, which survived the most inhuman cataclysm of the 20th century. The fact that the city was practically untouched by the holocaust somehow became the reason of its later drama: no one was interested in the state of Cracow's historic monuments. Warsaw and Gdańsk were raised from ruin, mines and steelworks were constructed, while old, "bourgeois" Cracow was doomed by the authorities to remain a skansen museum. As time passed, walls in Cracow were covered by dry rot and mould; church towers and domes got shrouded in a cloud of industrial smoke — thicker every year. Cracow air, never too healthy, contained more and more fluorine and sulphur dioxide. The paramount post-war industrial constructions, on which poems were written, turned to be hazardous not only for ancient buildings, but also for human health. Finally, alarm was raised: Cracow was perishing. A great campaign to save the city was launched. It has been carried on with differing intensity and results since 1961. Glancing over this album you must not forget it is a portrait of an ailing city: one which needs billions of zloties and many decades to be saved. This is the price the contemporaries have to pay in order to save the past. Especially that this past has not always been appreciated and protected early enough.

Cracow has always been a city of contraries existing peacefully side by side. Its intellectual potential was shaped by native Polish as well as Italian and German middle-class tradition and by Jewish philosophy flourishing in the neighbouring Kazimierz. All these traditions proved handy in the 19th century: political prostration and economic misery were compensated for by spiritual values. Politically neutralized, Cracow started to draw its strength from all the great minds and talents who came here, as in the old times, from various parts of the partitioned country, where free thought was not so easily accepted as in the Austrian zone. Such a mixture of characters and temperaments yielded a common Cracow type: sceptic, a little melancholic, with a trait of elegant mockery and plain comicality. As a meltingpot of different beliefs, opinions and ideas, Cracow developed into a specific city — tolerant of everything new but at the same time quite lukewarm about too violent and radical changes. Some of the atmosphere of that quiet, even a bit sleepy town of several decades ago has remained in Cracow. In this town, memories of the imperial and royal times are passed from generation to generation and the present-day realities are immersed in the atmosphere of those forever bygone times.

For Adam Bujak, taking pictures of Cracow is like a mysterious ritual, like worshipping old Fater Time, who has covered walls with patina and has come to a halt under the roofs of churches. It is connected with the photographer's own fascination with the unique character of the city bound up with the nation's thousand-year Christian tradition. Bujak portrays the city abstracted from our contemporary reality, focussing on what has been inherited from the past. His artistic activity reflects his fascination with the world of long ago, his enchantment with the past that has left only stone sarcophagi, edifices, works of art and... memories. In a sensitive observer, a city like Cracow — on the verge of ecological disaster — evokes questions about the fate of our whole heritage, systematically polluted up to the point of destruction by technical civilization. Compiling his fourth photographic album on Cracow, Adam Bujak, equipped with his camera, visited some inaccessible places and those reached by a limited number of people. His camera is an optical instrument which makes us notice things we would never notice without it. Looking at Cracow we sink into thoughts on life and the passing of things,. Adam Bujak tries to arrest some of his own feelings and impressions in each frame; he wishes to save every single moment from the destructive work of time, knowing it will never happen again in the same context.

Time has always been going slowly in Cracow. Perhaps this, as well as close contact with the past day by day, make life here more mature and filled with more reflection. The past, that is the history of the people, ideas and great surges that have already passed, teaches us that passions burning with too big a flame turn quicker into ashes.

Thus has Cracow endured. It has gone through many vicissitudes. Temporarily fallen down, it has always revived, as if it were supported by some kind of force, the sources of which have never been possible to be explored.

Captions to photographs

PANORAMAS

Cracow emerging from the murk of history and the Vistula river-fog. The 13th-century town plan has remained unchanged till today.

1. Old Cracow — a historic urban complex of zero-class
2. Wawel Hill — the former seat and coronation place of Polish kings
3. Royal castle — a reminder of the splendour of the Commonwealth
4. Remains of medieval town fortifications pulled down at the beginning of the 19th century. Floriańska Gate — one of the seven gates in medieval Cracow, and the Barbican — a Gothic structure from the 15th century — the most imposing of the preserved defensive constructions in Poland.
5. The green belt of Planty Park has replaced the former city moat, filled with earth, and defence walls, pulled down. The Churches of St. Peter and Paul and St. Andrew in Grodzka Street, called the Royal Road.
6. St. Anne's Collegiate Church and fragments of University buildings
7. The city viewed from the Wawel Hill
8. Kościuszko Mound, raised in 1820—1823 to commemorate our national hero, is surrounded by 19th-century Austrian forts which remember the time when Cracow was a fortress
9. Kazimierz, formerly a separate town set up by Casimir the Great, is now a part of Cracow
10. View of Kazimierz from the Wawel; in the distance — Gothic churches: St. Catherine's and Corpus Christi

A CRACOW NIGHT

When streets get empty, imagination livens up...

11. Reflections of light on the Wawel
12. The Basilica of the Holy Virgin Mary, or St. Mary's Church, overtopping the Marketplace, used to be the main church of Cracow burghers. The oldest part — the chancel — was built in the mid-14th century. The higher Gothic tower resounds with the bugle-call played on a trumpet every hour — a centuries' old tradition, referring to the Tartar invasions
13. Detail of the Cloth Hall — former market stalls built in the 13th century
14. Cloth Hall and Town Hall Tower after the rain
15. Arsenal — the part of city fortifications that survived
16. Adam Mickiewicz Monument in the Marketplace, designed by Teodor Rygier, and Romanesque St. Adalbert's Church
17. Entrance to the Pauline Monastery on Skałka

18. St. Stanisław's Pool in front of St. Michael's Church on Skałka
19. St. Michael's Church on Skałka, connected with the cult of St. Stanisław dating from the 11th century
20. The crypt of great Poles on Skałka. The sarcophagus of Stanisław Wyspiański — a poet, painter and playwright inspired by Cracow
21. The dome of St. Peter and Paul's Church appears amid the greenery of the Planty. The church was the first building erected for the Jesuits in the years 1597—1630
22. Figures of apostles in front of St. Peter and Paul's Church
23. Romanesque walls of St. Andrew's Church and figures of apostles
24. A gate in the wall encircling St. Andrew's
25. Nicolaus Copernicus Monument by Cyprian Godebski in front of the university where the great astronomer studied
26. Bernardine Church built in 1670—1680
27. Corpus Christi Church at Kazimierz, founded by Casimir the Great
28. The Convent of Premonstratensian Nuns at Zwierzyniec, founded in the 12th century. Its present shape is the result of the 13th-century remodelling
29. Old ritual in modern illumination: floating wreaths down the Vistula

PLANTY PARK

This green belt enlivening the old walls was arranged after the former moat had been filled with earth and the medieval defence walls had been pulled down in the early 19th century.

30. Juliusz Słowacki Municipal Theatre; a hundred years ago its designer, Jan Zawiejski, was inspired by the Paris Opera-house
31. Autumn in Planty, the park laid out at the beginning of the 19th century to replace old fortifications
32. Fragment of city fortifications — Floriańska Gate, the former main gate to the royal town, view from the Barbican
33. Barbican turrets — a reminder of medieval defence walls

WAWEL HILL

This stone heritage of the past has witnessed the thousand-year history of the Polish nation. First, a stone palatium was built, then a Gothic castle, and finally a Renaissance royal residence, renowned and imitated in the whole country

34. Wawel Cathedral — the coronation church of Polish kings. The present temple stands on the site of two previous ones in Romanesque style. The first of them was begun in the early 11th century

35. Inside the Wawel Cathedral. End of the procession in praise of St. Stanisław that every year goes from Skałka to the Wawel following the centuries' old tradition
36, 37. Stained-glass windows by Józef Mehoffer in the Cathedral
38. The lance of St. Maurice in the Cathedral treasury. It was handed by Emperor Otto III to Bolesław the Brave in 1000 in recognition of the Polish ruler's independence
39. Christ's Sepulchre in the Cathedral
40. The Seventieth Anniversary of Polish Independence is being celebrated in the Cathedral on 11 November 1988
41. Gilt dome of the Sigismund Chapel
42. Castle chapel
43. Tombstone of Sigismund Augustus, the last Jagiellon, in the Sigismund Chapel, since the 19th century called "the pearl of the Renaissance north of the Alps"
44. Tombstone of King Władysław Jagiełło, the founder of the Jagiellon dynasty, dating from the first half of the 15th century
45. Władysław Jagiełło. His tombstone is one of the greatest achievements in Gothic sculptural art
46. Queen Jadwiga. Detail of the tombstone carved by Antoni Madeyski in 1902 to cover the mortal remains of the queen exhumed from her grave at the main altar. In 1987, after the queen's beatification, she was buried at a side altar in an aisle
47, 48. Royal sarcophagi in St. Leonard's Crypt — the oldest part of the Cathedral and one of the most valuable Romanesque interiors in Poland. The tradition to bury royal bodies in the Cathedral dates from 1333
49. The oldest construction in the Castle vaults — the Rotunda of the Holy Virgin Mary
50. Passage connecting the Cathedral with the royal castle
51. Renaissance arcades of the Wawel Castle
52. Senators' Hall — the biggest in the castle, containing a collection of arrases
53, 54. Details of arrases from the collection of Sigismund Augustus
55. A study in Sigismund III Tower — one of the best-preserved castle interiors
56. Gothic Pavilion — the bedroom of the Vasas
57. 17th-century Turkish tent, traditionally believed to have been captured by John III Sobieski at Vienna
58. A room in the 14th-century "Hen's Foot"
59. Column Hall, called Merlini's Hall, after the court architect of Stanisław Augustus who renovated it in the 18th century
60. Every year at Corpus Christi a procession

starts from the Wawel down to the Market-place...

61. Most Rev. Karol Wojtyła and the Primate of Poland, Cardinal Stefan Wyszyński taking part in a procession from the Wawel to Skałka. When this picture was taken in the 'seventies, no one could foretell that the Cracow archbishop would become the first Polish pope

62. Royal castle viewed from the towers of Bernardine Church

63. Wawel Hill — an ancient witness of Poland's turbulent history

MAIN MARKETPLACE

One of the biggest town squares of medieval Europe, it was laid out in 1257 and remained the hub of administration and commerce until now.

64. Cloth Hall — old 13th-century market stalls were rebuilt after a fire in the Renaissance style. The present shape was given to it by the architect Tomasz Pryliński, who renovated it in the second half of the 19th century

65. The dome of the 12th-century St. Adalbert's Church and the Town Hall Tower which has remained from the Cracow Town Hall demolished in the first half of the 19th century

66. View from a window of a Marketplace house

67. Waiting for a copy of the Black Madonna picture from Częstochowa to pass by

68. Mariacki Square with Gothic St. Barbara's Church. The old municipal cemetery was removed from this site in the early 19th century

69. Such a view of Mariacki Square is a rare privilege

70. A room in the Town Hall Tower is what has survived of the Gothic Town Hall

71. After the rain...

TEMPLES

Because of the number of its churches, Cracow has been called Polish Rome, but it has attracted people from various religions.

72. A view from Kościuszko Mound from the roof od St. Peter and Paul's Church

73. In 1477 Wit Stwosz (Veit Stoss) came to Cracow from Nuremberg in order to carve the high altar of St. Mary's Church on the request of the city council. He completed the greatest work of his life in twelve years

74. Detail of the middle part of the altar

75. The crucifix in the altar of the south aisle of St. Mary's Church was carved by Wit Stwosz

76. Renaissance ciborium from the first half of the 16th century in St. Mary's Church

77. Eagle above the Loretto Chapel in St. Mary's Church

78. The richness of liturgic robes. Late 15th-century chasuble in the treasury of St. Mary's Church

79. Baroque interior of Bernardine Church built in the years 1670—1680 on the site of

a temple destroyed by the Swedes. Every year concerts of the festival "Music in Old Cracow" are held here.

80. Panorama of Christ's Sepulchre in the Bernardine Church painted by Tadeusz Popiel in 1911

81. "Madonna and Child with St. Anne" (old Polish Samotrzeć) in the same church. The 15th-century Gothic sculpture shows features of Wit Stwosz's art

82, 83. Crucifix and interior of the Church of St. Florian, the first patron saint od Cracow, whose relics were brought to Poland in 1184

84. Nave of the Gothic Dominican Church of the Holy Trinity

85. Pulpit in St. Andrew's Chuch from the 18th century

86. Detail of the altar in St. Catherine's. The church, founded by King Casimir the Great for the Augustinian Order in 1363, survived in its pure Gothic form and is registered in world lists of historic monuments

87. Celebration of the 1000th Anniversary of Kiev Ruthenia's Baptism in the same church

88. Icon in the Orthodox Church in Szpitalna Street

89. Madonna of Jurewicze on the Pripet River in St. Barbara's Church

90. Nave of Corpus Christi Church. Founded by Casimir the Great, it was the main church of the town of Kazimierz and belongs to the most beautiful Gothic art monuments in Poland

91. Nave of the Carmelite Church, the foundation of which was connected with the Blessed Queen Jadwiga

92, 93. Chapel of the Holy Virgin Mary in the Carmelite Church and the picture of Madonna in front of which, as legend has it, King John III Sobieski prayed before his expedition to Vienna

94. *Memento mori.* Bodies of monks in the vaults of Friars Minor Monastery. The microclimate of the crypt under the 17th-century church caused the natural process of mummification

95. Chapel of the Way of the Cross hidden in Reformacka Street

96. Old Synagogue at Kazimierz

97. In the old synagogue in Szeroka Street at Kazimierz. This 16th-century building is the most precious relic of the former Jewish town.

98. Prayers in Remuh Synagogue, founded in 1553. The tomb of Rabbi Remuh, the founder's son, is in the cemetery next to the synagogue

CEMETERIES

A memento of the time that has passed. The oldest of them, Rakowicki Cemetery, set up in suburban Rakowiec in 1802, is the second oldest cemetery in Poland, after Warsaw's Powązki.

99. Rakowicki cemetery

100. All Souls' Day at Rakowicki Cemetery. The family grave of the Wojtyłas

101. Military cemetery in an annex to Rakowicki Cemetery

102. Jewish Cemetery in Miodowa Street; reminders of the Jewish town Kazimierz

103. The city of the alive and the dead: new cemetery at Podgórze

SCIENCE AND ART

Cracow was called the Polish spiritual capital — and such it has remained. For several centuries it has been the centre of Polish science and culture.

104. Entrance to the arcades of Collegium Maius

105. University treasury

106. The oldest university staff dates from the 15th century

107, 108. Spherical model of the sky and an astrolabe from the mid-15th century; a copy of an astronomical instrument used by Nicolaus Copernicus. University Museum collection

109. Well in the courtyard of Collegium Maius

110. Towards the end of the 19th century the building of Collegium Novum was added to the University

111. Inauguration of the academic year at the Jagiellonian University

112. Doctorate honoris causa conferred on Karol Wojtyła by the Jagiellonian University during the Pope's second visit to Poland

113, 114. Furniture from a middle -class house. Silver cock, according to the tradition offered to the Marksmen's Brotherhood by the last Jagiellon, Sigismund Augustus. Historical Museum collection

115—117. Vessels from excavations at Nowa Huta, golden Scythian earrings from the neighbourhood of Kiev and swords from the Bronze Age. Archeological Museum collection

118. Etruscan sarcophagi from the Czartoryski Collection

119. Souvenirs from the Vienna siege: part of a tent, Hetman Mikołaj Sieniawski's coat of mail and Turkish horse-tail ensign from the Czartoryski Collection

120. Leonardo da Vinci's "Lady with the Ermine" from the same museum

THE PEOPLE OF CRACOW

Put to the margin of political life, the city has developed other activities: scientific, cultural, religious; it has drawn its force from men of great minds and virtues.

These are our conteporaries:

121. Archbishop of Cracow, Cardinal Franciszek Macharski in the Palace of Archbishops

122. The composer known on both hemispheres, Krzysztof Penderecki: "There is something fascinating in this Cracow fog; I don't even know how it works, I don't even try to describe it; it's useless. What can I add to the

words that have already been said by people as fascinated with Cracow as I am?"

123. Co-author of the successes of the Stary (Old) Theatre, theatre and film director Andrzej Wajda

124. Tadeusz Kantor, creator of the Cricot Theatre: "At last I've got what I needed: individual life. Mine! But hundredfold individual. I can introduce it on stage..." Not long ago he was still among us.

125. In his Cracow study, the world famous writer of science-fiction novels, Stanisław Lem, got ahead of man's imagination

126. In the studio of the painter Stanisław Rodziński

127. Painter Jerzy Nowosielski and his work in the Cracow Orthodox Church

COLOURS OF FOLKLORE
The colour of this city has always been composed by history, customs and people.

128. The procession of the Marksmen's Brotherhood sets off from the Barbican

129. Passing of the insignia of power in the Marksmen's Brotherhood

130—132. Every Lent, a procession of the Archconfraternity of Christ's Passion passes by the Franciscan Church. It has been so for centuries

133. Polonia Games in Cracow in 1988. A historic show in the Marketplace

134. December competition of nativity cribs in the Marketplace

135. Memory of Jan Kaczar and his "enchanted droshky" extolled by poet Konstanty Ildefons Gałczyński

136—140. During the Cracow Days in July, a parade of a hobbyhorse called Lajkonik starts from the Premonstratensian Convent at Zwierzyniec. The colourful parade commemorates the repulse of the Tatar hordes in the 13th century

HELP THE CITY
Polluted air is Cracow's greatest enemy. To save the monuments of the past, billions of zloties and many decades are needed.

141. This is how the town hall at Kazimierz and a fragment of the Wawel Castle look like from the limestone cliff of Krzemionki

142. Looking towards the Premonstratensian Convent and Kościuszko Mound

143. Old Cracow — a city included on the World Heritage List...

144. ... and one of the ecologically most endandered cities of Europe

145. This is how stones crumble in the polluted air in Cracow...

Translated by **Elżbieta Kowalewska**

La Vieille CRACOVIE

On l'appelle parfois Florence du nord ou Rome polonaise, mais elle restera toujours Cracovie nonobstant les ressemblances de tous genres qui incitent aux plus diverses comparaisons.

Penser Cracovie, c'est se plonger dans une profonde méditation: c'est en effet un mystère national joué par la nation polonaise depuis plusieurs siècles. Et c'est cette ville que visualisera cet album. Le phénomène de Cracovie c'est qu'il persiste en dépit de toutes contradictions, à l'encontre du monde moderne industrialisé qui ronge la ville comme l'est Venise, comme le sont de nombreuses autres villes séculaires inscrites dans les pages de l'histoire de la culture européenne.

Depuis le temps où Ibrahim-ibn-Jaqûb, l'envoyé du calife de Cordoue, mentionna en 956 Cracovie, jusqu'au moment où, en 1978, l'UNESCO porta cette ville dans le registre du patrimoine mondial de la culture, dix siècles se sont écoulés. Et tout ce qui s'est produit en ce laps de temps est l'histoire de Cracovie. Là, les vestiges des siècles révolus s'accumulent et stupéfient par leur magnificence. Dans les cryptes des sanctuaires de Cracovie on peut retrouver des murs romans, dans les maisons bourgeoises — des plafonds et des porches gothiques et Renaissance, et dans le ciel pointent les heaumes baroques des tours des églises. Où que nous regardions, nous retrouvons des influences de la culture européenne dont le rayonnement se focalisait autrefois dans l'ancienne capitale de la Pologne. „Tu trouveras ici de riches maisons de marchands italiens, flamands, français, persans, turcs, anglais... Très juste est le dicton que si Rome n'existait pas, Cracovie serait Rome", écrivait en 1596 une personnalité de la légation pontificale venue dans cette ville.

On ne saurait dire exactement à quel moment Cracovie est devenue un centre exceptionnel de culte national. Est-ce depuis le couronnement de Ladislas le Bref en 1320, qui valut à la cathédrale du Wawel le privilège d'être érigée en lieu de sacre des rois de Pologne, ou plus tôt encore, au XIᵉ siècle, quand dans cette même cathédrale furent déposés les insignes royaux bien que Cracovie ne fût à l'époque qu'une ville de province au regard de Gniezno, la ville du sacre et siège d'archevêché. De toute façon il ne fait pas de doute que le XIVᵉ siècle avait marqué les débuts de la magnificence de Cracovie devenue déjà capitale de l'Etat et occupant une place honorable parmi les autres capitales européennes. En ce temps reposaient déjà dans la cathédrale du Wawel les cendres de l'évêque Stanislas dont la canonisation au XIIIᵉ siècle était devenue le symbole de la réunification de l'Etat polonais. Avant de devenir un haut lieu national, Cracovie était un important lieu de culte religieux.

Le XIVᵉ siècle a mérité le nom de siécle des bâtisseurs. On construisait des églises, la ville s'embellit de l'hôtel de ville et de sa première Halle aux Draps, elle fut ceinte de murailles flanquées de tours et sur la colline du Wawel furent érigés la cathédrale et le château royal, mais aussi un foyer de vie religieuse. Au Moyen Age, la puissance de l'Eglise était déterminante pour l'importance des villes, or le diocèse de

Cracovie était un des plus riches de l'Europe. De l'Académie de Cracovie — la deuxième université de l'Europe centrale après celle de Prague — s'était rendu au concile de Constance, 1414–1418, Paweł Włodkowic, un savant, écrivain, juriste et diplomate, pour y trancher au nom du roi de Pologne le litige opppposant le royaume à l'Ordre Teutonique, pour défendre le droit de toute nation de vivre libre sur son territoire, le droit de décider de son avenir. Au temps où, à l'université de Cracovie, faisait ses études Nicolas Coperinic, la moité des étudiants étaient des étrangers.

Capitale de la Pologne, Cracovie entrait en son Age d'Or. Des gens de tous les pays de l'Europe, avides de gloire et d'argent, s'y donnaient rendez-vous et s'y installaient à demeure, envoûtés par la spécificité de la culture polonaise, charmés par l'hospitalité, conquis par l'esprit de tolérance. Ils subissaient l'attraction de la cour royale, étaient attirés par la proximité de l'Académie de Cracovie, et la célébrité de la dynastie des Jagellon leur en imposait. Ainsi se renforçait la bourgeoisie cracovienne, ils parvenaient aux postes les plus élevés dans l'Etat, obtenaient des titres de noblesse, devenaient propriétaires de maisons et de palais. Avec le temps, seuls les noms témoignaient de l'origine étrangère de ceux qui les portaient, et encore leur consonance se polonisait-elle graduellement. Ceux qui venaient d'Occident apportaient leurs costumes, leurs moeurs et leurs goûts. Jamais plus qu'à la Renaissance la ville n'avait atteint un tel degré de prospérité. Aussi pouvait-elle se permettre de très coûteux remaniements. Peut-être doit-elle à sa lente paupérisation survenue après 1596, date à laquelle elle perdit son rang de capitale, d'avoir conservé tant de monuments d'architecture de ces années de plus grande prospérité à la Renaissance. Ecartée de la vie politique, Cracovie devenait peu à peu la Mecque des pèlerins cherchant foi et réconfort dans les murs du Wawel, lieu sacro-saint des Polonais, cessant en même temps d'être un lieu où l'on pense à l'avenir. Les rois de Pologne également ne pensaient plus à cette ville autrement qu'au lieu de leur repos éternel.

Quand Sigismond III Vasa s'installa en 1596 avec sa cour à Varsovie, l'ancienne capitale commença à péricliter. A peine parvenue à l'apogée de l'Age d'Or, elle vit s'ouvrir l'abîme de l'oubli dans lequel elle allait inexorablement être plongée. La chute, en 1794, de l'Insurrection de Kościuszko, soulèvement national contre la Russie et la Prusse, scella définitivement le destin de Cracovie et de la Pologne. Les Prussiens transformèrent bientôt en lingots d'or les joyaux du sacre pillés au Wawel, et les Russes évacuèrent à Saint-Pétersbourg les tapisseries flamandes des Jagellon: elles ne devaient être restituées à la Pologne qu'un siècle et demi plus tard.

Cracovie passait de main en main. D'une domination sous une autre. Les Prussiens s'étant retirés, vinrent les Autrichiens qui ne quittèrent la ville qu'en 1809 sous la poussée de la tempête napoléonienne qui déferlait à travers le pays. Cracovie resta plusieurs années à l'intérieur des frontières du Duché de Varsovie qui cependant, créé par Napoléon, cessa d'exister quand s'éteignit l'étoile de l'empereur des Français avec qui s'évanouirent tous les espoirs de restauration de la Pologne partagée par la Prusse, l'Autriche et la Russie. Jusqu'en 1846 Cracovie exista comme Ville Libre et Neutre mais, après l'insurrection contre les Autrichiens, elle fut privée de son autonomie et incorporée à la monarchie des Habsbourg dont elle fit partie jusqu'au recouvrement de l'indépendance de la Pologne en 1918.

La Seconde Guerre mondiale réduisit en ruines de nombreux monuments historiques polonais, détruisant des témoins importants de la continuité de la civilisation matérielle de la nation. Cracovie cependant fut préservée, par miracle presque, et sa valeur s'accrut d'autant plus après la guerre qu'elle était redevenue un symbole quasiment mythique de la Pologne, nécropole des rois qui avait su sortir indemne du cataclysme le plus inhumain du XXᵉ siècle.

Le fait que la ville ait survécu à l'enfer de la Seconde Guerre s'est cependant situé à l'origine de son drame ultérieur: le désintéressement pour l'état de ses monuments historiques. Varsovie et Gdańsk se relevaient des ruines, de nouvelles mines et usines sidérurgiques étaient mises en chantier. La vieille Cracovie „bourgeoise" était condamnée par le pouvoir à devenir un „parc ethnographique". Les murs de Cracovie commencèrent à se couvrir de champignon et de moisissure, les tours et les dômes des églises s'encrassaient d'année en année davantage sous l'effet des pollutions industrielles. L'air atmosphérique de Cracovie, qui n'avait jamais été des plus salubres, contenait de plus en plus de fluor et d'anhydride sulfureux. Les réalisations pilotes de l'industrialisation de l'après-guerre, chantées dans des poèmes, commencèrent à menacer non seulement les monuments historiques, mais aussi la santé de la population. Enfin on donna l'alerte que Cracovie périssait. Une grande campagne de sauvetage de la ville fut lancée, qui dure avec plus ou moins d'intensité et d'efficacité depuis 1961. En feuilletant cet album, il ne faudra dons pas perdre de vue que c'est le portrait d'une ville malade qu'on ne pourra sauver qu'au prix de milliards de zlotys et dont le traitement demandera des dizaines d'années. Tel en effet est le prix que les temps présents doivent payer pour sauver le passé qu'on n'a pas su apprécier et protéger à temps.

Cracovie a été et est une ville où des contradictions se rencontrent et persistent dans une coexistence pacifique. Dans son capital intellectuel se retrouvent, en plus des traditions indigènes, polonaises, les traditions de la bourgeoisie italienne et allemande et la philosophie juive de Kazimierz tout proche. Tout cela a été mis à profit au XIXᵉ siècle, quand l'impuissance politique et économique dut trouver une compensation dans les valeurs spirituelles. Politiquement neutralisée, Cracovie tenait sa force de la présence d'hommes de grand esprit et talent qui,

comme autrefois, venaient ici des différentes parties de la Pologne partagée, de lieux où il était plus difficile de vivre dans la liberté d'esprit que sous la domination autrichienne. Ce mélange de dispositions et tempéraments différents marqua le tempérament des Cracoviens de scepticisme, assaisonné d'un peu de mélancolie, d'un grain d'élégant persiflage et d'un tantinet de ridicule. Dans ce creuset de confessions, opinions et idées différentes se fondait et mûrissait la spécificité de la ville, suffisamment tolérante pour tout apport nouveau mais, en même temps, accueillant avec réticence les changements trop violents ou radicaux. Dans Cracovie d'aujourd'hui nous retrouvons un peu de l'atmosphère de la ville calme et somnolente d'il y a des décennies, où le souvenir de l'époque impériale et royale passe de génération en génération, où les réalités de l'époque actuelle se fondent involonatairement dans l'atmosphère de cet autre temps, irrévocablement révolu.

Pour Adam Bujak, photographier Cracovie c'est un peu pratiquer un rite tout de mystère. En photographiant Cracovie, il s'incline devant le Temps qui a couvert de patine les murs et s'est figé sous les voûtes des églises. Avec cela, l'auteur est fasciné par le caractère tout spécifique de la ville, liée à la tradition chrétienne millénaire de la nation. Bujak montre une ville arrachée au temps où nous vivons, il se concentre sur l'héritage du passé. L'oeuvre photographique de Bujak rend compte de sa fascination par le monde qui n'est plus, de son envoûtement par le passé qui a pour témoins des sarcophages en pierre, des édifices, des oeuvres d'art et... la mémoire. Une ville qui, comme Cracovie, se trouve au bord de la catastrophe écologique, pose à l'observateur sensible des questions sur le sort de l'héritage du passé en voie de destruction dans les fumées de la civilisation industrielle. En composant son quatrième album sur Cracovie, Adam Bujak s'est faufilé avec sa caméra jusque dans les lieux inaccessibles ou accessibles à un petit nombre. La caméra devient pour la circonstance un instrument optique grâce auquel notre attention se fixe sur tout ce que nous ne pourrions apercevoir sans elle. Cracovie nous convie à méditer sur la vie et les choses transitoires. Adam Bujak veut fixer en gros plan une partie de ses sentiments et impressions, il veut préserver de l'action destructrice du temps le moment, l'instant unique qui ne se répétera plus dans des circonstansec identiques.

A Cracovie, le temps s'est toujours écoulé et s'écoule lentement, mais grâce à cela peut-être on peut le vivre plus mûrement, d'une manière réfléchie, apanage de ceux qui côtoient journellement le passé qui est l'histoire de la transition des hommes, des idées, des grands élans, et qui apprend que les passions qui flambent d'un grand feu se réduisent plus vite en une poignée de cendres.

Cette Cracovie perdure. Elle a connu diverses vicissitudes et des conjonctures variables. Elle tombait en ruine et se régénérait comme sous l'effet d'une force dont nul n'a été ni n'est en état de sonder les sources.

Table des illustrations

51. Les arcades Renaissance du château du Wawel

52. La Salle des Séateurs — la plus grande du château, avec sa collection de tapisseries flamandes

53,54. Fragments des tapisseries de la collection de Sigismond-Auguste

55. Le cabinet de la tour Sigismond III — un des intérieurs du château le mieux conservés

56. Le Pavillon gothique — chambre à coucher des Vasa

57. Tente turque du XVIIᵉ s. — selon la tradition, elle aurait été conquise par Jean III Sobieski à Vienne

58. La salle de la tour du „Pied de Poule" du XIVᵉ s.

59. La Salle aux colonnes dite Salle Merlini. Elle doit son nom à **l'architecte du roi Stanislas-Auguste qui en con**çut la restauration au XVIIIᵉ s.

60. Tous les ans, le jour de la Fête-Dieu, une procession se rend depuis le Wawel jusqu'à la Place du Marché...

61. Karol Wojtyła et le Primat de Pologne Stefan Wyszyński dans la procession du Wawel à Skałka. Dans les années soixante-dix où cette photo a été prise, personne ne prévoyait que le cardinal méropolite de Cracovie deviendrait le premier pape polonais

62. Le château royal vu du haut des tours de l'église des franciscains observants

63. La colline du Wawel — très ancien témoin de l'orageuse histoire de la Pologne

LA PLACE DU MARCHE

Une des plus belles places municipales de l'Europe médiévale. Tracée en 1257, elle a gardé jusqu'à aujourd'hui son caractère de centre administratif et commercial

64. La Halle aux Draps — anciennes boutiques du XIIIᵉ s., reconstruites après l'incendie dans le style Renaissance. Elle doit son aspect actuel à la restauration effectuée dans la seconde moitié du XIXᵉ s. par l'architecte Tomasz Pryliński

65. Le dôme de l'église Saint-Adalbert du XIIᵉ s. et le Beffroi de l'Hôtel de Ville, vestige de l'édifice démoli dans la première moitié du XIXᵉ s.

66. Vue de la fenêtre d'une maison de la Place du Marché

67. Dans l'attente du passage de la copie du Tableau de la Madone Noire de Jasna Góra

68. La Place Notre-Dame avec l'église gothique Sainte-Barbe. Là se trouvait le cimetière municipal, supprimé au commencement du XIXᵉ s.

69. Il y en a peu qui voient la Place Notre-Dame depuis cette perspective

70. Une salle du Beffroi — vestige de l'Hôtel de Ville gothique

71. Après la pluie...

SANCTUAIRES

Le nombre des églises a valu à Cracovie le nom de Rome polonaise, mais la ville attirait des hommes de diverses confessions et religions.

72. Vue, du toit de l'église Saints-Pierre-et-Paul, du Tertre de Kościuszko

73. En 1477 vint de Nuremburg à Cracovie le sculpteur Wit Stwosz à qui les échevins de la ville avaient commandé le retable du maître-autel de l'église de la Bienheureuse Vierge Marie, dite église Notre-Dame. Il réalisa en l'espace de douze ans la plus grande oeuvre de sa vie

74. Un fragment de la partie médiane du retable

75. Le crucifix, sculpté par Wit Stwosz, dans l'autel de la nef sud de l'église Notre-Dame

76. Ciborium Renaissance, de la première moitié du XVIᵉ s., dans l'église Notre-Dame

77. L'Aigle au-dessus de la chapelle de Lorette dans l'élise Notre-Dame

78. La richesse des ornements liturgiques. Une chasuble de la fin du XVᵉ s. conservée dans le trésor de l'église Notre-Dame

79. L'intérieur baroque de l'église des franciscains observants construite dans les années 1670—1680 sur l'emplacement d'une église détruite par les Suédois. Tous les ans s'y déoulent les concerts du festival „La musique dans la vieille Cracovie"

80. Panorama du Tombeau du Christ dans l'église des franciscains observants, peint en 1911 par Tadeusz Popiel

81. „Ste Anne la Troisième" (Samotrzeć) dans la même église.
Sculpture gothique du XVᵉ s., portant des traits de l'atelier de Wit Stwosz

82,83. Crucifix et intérieur de l'église Saint-Florian, le premier patron de Cracovie, dont les reliques furent transportées en Pologne en 1184

84. La nef principale de l'église gothique des dominicains, sous l'invocation de la Sainte-Trinité

85. La chaire de l'église Saint-André date du XVIIIᵉ s.

86. Fragment de l'autel de l'église Sainte-Catherine. Construite en 1363 par Casimir le Grand pour l'ordre des augustins, l'église a conservé dans toute sa pureté les formes du style gothique. Elle figure dans les catalogues mondiaux des monuments hstoriques

87. Les célébrations du millénaire du baptême de la Russie kiévienne dans la même église

88. Une icône de l'église orthodoxe de la rue Szpitalna

89. La Madone „Jurowiecka" de l'église Sainte-Barbe

90. La nef principale de l'église du Saint-Sacrement. Fondée par Casimir le Grand, c'était la principale église de la ville de Kazimierz et c'est l'un des plus beaux monuments de l'art gothique en Pologne

91. La nef principale de l'église des carmes dont la fondation est attachée au nom de la bienheureuse reine Hedvige

92,93. Chapelle de la Bienheureuse Vierge Marie en l'église des carmes et tableau de la Madone devant lequel avait prié, au dire de la tradition, le roi Jean III Sobieski avant l'expédition de Vienne (1683)

94. „Memento mori". Les corps des religieux dans les souterrains du monastère des franciscains observants. Le microclimat de la crypte de l'église construite au XVIIᵉ s. a favorisé la momification naturelle des corps

95. La chapelle du Chemin de croix dans un recoin de la rue Reformacka

96. La vieille Synagogue de Kazimierz

97. L'intérieur de la vieille synagogue rue Szeroka à Kazimierz. Construite au XVIᵉ s., c'est le plus précieux souvenir de l'ancienne ville juive

98. Prières dans la synagogue Remuh, fondée en 1553. Le monument funéraire du rabbin Remuh, fils du fondateur, se trouve dans le cimetière près de la synagogue

CIMETIÈRES

Rappel du temps qui n'est plus. Le plus ancien, Rakowicki, ouvert en 1802 à Rakowice près de Cracovie, ne le cède en âge qu'au cimetière de Powązki à Varsovie.

99. Le cimetière Rakowicki

100. Le Jour des Morts au cimetière Rakowicki. Le caveau de la famille des Wojtyła

101. Le cimetière militaire dans la partie nouvelle du cimetière Rakowicki

102. Le cimetière juif rue Miodowa — souvenirs de la ville juive de Kazimierz

103. Ville des vivants et des morts — le nouveau cimetière dans le quartier de Podgórze

LES SCIENCES ET LES ARTS

Cracovie a été appelée capitale de l'esprit polonais — et il en est ainsi jusqu'à aujourd'hui. C'est depuis plusieurs siècles le centre de la science et de la culture polonaises.

104. L'entrée des arcades du Collegium Maius

105. Le trésor de l'université

106. Le plus ancien sceptre universitaire provient du XVᵉ s.

107,108. Le globe représentant la voûte céleste et l'astrolabe du milieu du XVᵉ s. ainsi qu'une copie de l'instrument astronomique utilisé par Nicolas Copernic — tous objets conservés au Musée de l'Université

109. Fontaine dans la cour du Collegium Maius

110. Vers la fin du XIXᵉ s. l'université s'est agrandie de l'édifice du Collegium Novum

111. Inauguration de l'année académique à l'Université Jagellonne

112. Le doctorat honoris causa de l'Université Jagellonne décerné à Karol Wojtyła pendant le deuxième pèlerinage du pape en Pologne

113,114. Meubles d'une maison bourgeoise. Coq en argent offert selon la tradition par le dernier Jagellon, Sigismond-Auguste, àla Confrérie des Tireurs — conservé au Musée Historique de la ville

115—117. Ustensiles provenant des fouilles effectuées sur le terrain de Nowa Huta, boucles d'oreilles scythes, en or, des environs de Kiev et épées de l'âge du bronze, dans les collections du Musée Archéologique

118. Sarcophages étrusques des collections du Musée des Czartoryski

119. Souvenirs de la délivrance de Vienne — fragment d'une tente, cotte de mailles de l'hetman Mikołaj Czartoryski

120. La „Dame à l'hermine" de Léonard de Vinci, des collections du même Musée

LES CRACOVIENS

La ville, refoulée dans les marges de la vie politique, s'est vouée à des fonctions supplétives: scientifiques, culturelles et religieuses, puisant sa force dans la présence d'hommes de grands talents et de grand coeur. Voici quelques-uns de nos contemporains:

121. Le cardinal Franciszek Macharski, métropolite de Cracovie, dans son palais archiépiscopal

122. Le compositeur Krzysztof Penderecki, connu dans les deux hémisphères: „Il y a quelque chose de fascinant dans cette brume cracovienne, je ne sais même pas comment elle agit, je ne m'efforce même pas de le décrire, ce serait peine perdue. Que puis-je ajouter de nouveau à ce qui a déjà été did par ceux qui étaient fascinés par Cracovie comme moi?"

123. Un des auteurs du succès du Théâtre Stary, le metteur en scène et cinéaste Andrzej Wajda

124. Tadeusz Kantor, artiste peintre, créateur du théâtre Cricot: „J'ai enfin ce dont j'avais besoin: une vie individuelle. Ma vie! Et pourtant cent fois individuelle. Je peux l'introduire sur la scène...". Il y a si peu il était encore parmi nous

125. Dans son atelier cracovien, l'auteur des romans de science-fiction, connu dans le monde entier, Stanislaw Lem, dépassait l'imagination humaine

126. Dans l'atelier de l'artiste peintre Stanisław Rodziński

127. L'artiste peintre Jerzy Nowosielski à l'oeuvre dans l'église orthodoxe de Cracovie

LES TEINTES DU FOLKLORE

La couleur locale de cette ville c'était toujours l'histoire, les moeurs et les hommes.

128. Le défilé de la Confrérie des Tireurs part de la Barbacane

129. La passation des insignes du pouvoir dans la Confrérie des Tireurs

130—132. Tous les ans, depuis des siècles, pendant le carême, dans l'église des franciscains se déroule la procession de l'Archiconfrérie de la Passion du Seigneur

133. Les compétitions sportives de la Polonia à Cracovie, en 1988. Spectacle historique sur la Place du Marché

134. Décembre, concours des crèches sur la Place du Marché

135. Commémoraison de Jan Kaczar et de son „fiacre enchanté", fiction littéraire créée par Konstanty Ildefons Gałczyński

136—140. En juin, pendant les Journées de Cracovie, de devant le couvent des Prémontrées dans le quartier de Zwierzyniec part le Lajkonik et son cortège. Cette pittoresque cèlébration commémore le refoulement, au XIIIe s., des hordes tatares

SAUVER LA VILLE

Le plus grand ennemi de Cracovie est l'air atmosphérique pollué. Pour sauver les monuments historiques, il faut des milliards de złotys et de nombreuses décennies.

141. Ainsi se présentent, construits en pierre calcaire de Krzemionki, l'hôtel de ville de Kazimierz et un fragment du château du Wawel

142. En plongeant le regard vers le couvent des prémontrées et le Tertre de Kościuszko

143. La Vieille Cracovie — ville portée au registre du patrimoine mondial de la civilisation...

144. ... et une des villes de l'Europe écologiquement la plus menacée

145. Ainsi s'effritent les pierres dans l'air pollué de Cracovie...

Traduit par **Lucjan Grobelak**

ALT-KRAKAU

Es wird zuweilen Florenz des Nordens oder auch polnisches Rom genannt, doch es bleibt stets Krakau, trotz vieler Ähnlichkeiten, die die verschiedensten Vergleiche aufkommen lassen.

Krakau ist eine einzigartige Erinnerung an Vergangenes, ein nationales Mysterium, das vom polnischen Volke seit mehreren Jahrhunderten zelebriert wird. Das Phänomen der Stadt Krakau beruht darauf, daß sie trotz aller Widrigkeiten weiterbesteht, unserer industrialisierten Welt von heute zuwider, die sie ebenso langsam und stetig zerstört wie Venedig und viele andere ehrwürdige Städte, die in die Geschichte der europäischen Kultur eingegangen sind.

Seit der Zeit, als Ibrahim Ibn Jakob — ein Gesandter des Kalifen von Cordoba — im Jahre 965 eine Notiz über Krakau verfaßte, bis zu dem Moment, an dem 1978 die Stadt von der UNESCO in das kulturelle Welterbe aufgenommen wurde, sind zehn Jahrhunderte vergangen. All das, was in jener Zeit geschehen ist, gehört zur Geschichte Krakaus. Hier hat sich in den vergangenen Jahrhunderten so vieles angehäuft, daß es einem regelrecht den Atem verschlägt. In den unterirdischen Gewölben der Krakauer Kirchen stößt man auf romanische Mauern, in den Patrizierhäusern auf gotische Portale und Balkendecken aus der Zeit der Renaissance, und wenn man den Blick nach oben hebt, erscheinen die barocken Helme der Kirchtürme. Wohin wir auch blicken, läßt sich der Einfluß der europäischen Kultur erkennen, deren Ausstrahlungskraft in der einstigen Hauptstadt Polens auf fruchtbaren Boden fiel. "Du findest hier reiche Häuser italienischer, flämischer, französischer, persischer, türkischer und englischer Kaufherren... Angebracht ist deswegen das Sprichwort, daß wenn es Rom nicht gäbe, Krakau Rom sein würde." Diese Worte verzeichnete 1596 ein Mitglied der hier weilenden päpstlichen Gesandtschaft.

Es fällt schwer, ganau festzustellen, seit wann Krakau zu einem außergewöhnlichen Zentrum des nationalen Kults wurde. War es die Krönung Ladislaus des Kurzen im Jahre 1320, von wo an alle polnischen Könige im Dom auf der Wawelanhöhe gekrönt werden sollten, oder war es vielleicht noch früher, im 11. Jahrhundert, als man gerade in diesem Dom die Krönungsinsignien aufbewahrte, obwohl Krakau damals eine Stadt weit in der Provinz gegenüber dem erzbischöflichen Krönungsort Gnesen war. Es unterliegt keinem Zweifel, daß mit dem 14. Jahrhundert die Blütezeit von Krakau begann, das schon damals Hauptstadt von Polen war und seine Präsenz unter den anderen europäischen Hauptstädten zu unterstreichen begann. Im Waweldom ruhten derzeit bereits die sterblichen Überreste des Bischofs Stanislaus, dessen Heiligsprechung im 13. Jahrhundert zu einem Symbol für die Vereinigung des polnischen Staates geworden war. Bevor Krakau als Zentrum des nationalen Kults in Erscheinung trat, war es bereits ein Ort des religiösen Kults.

Als ein Jahrhundert der Baumeister läßt sich das 14. Jahrhundert bezeichnen. Man errichtete Kirchen, das Rathaus und die ersten Tuchhallen auf dem Alten Markt, Stadtmauern und Basteien, den Dom und das Königsschloß. Krakau war in jenen Jahren nicht zur Zentrum königlicher Macht, sondern auch Zentrum des religiösen Lebens. Im Mittelalter entschied die Allmacht der Kirche über die Bedeutung einer Stadt, und die Krakauer Diözese gehörte zu den reichsten in Europa. Von der Krakauer Akademie aus — der zweiten Hochschule in Mitteleuropa nach der Prager Universität — begab sich der Rechstgelehrte und Diplomat Paweł Włodkowic nach Konstanz, um während des Konzils von 1414—1418 im Namen des polnischen Königs den Streit mit dem Deutschritterorden zu führen und darauf zu pochen, daß ein jedes Volk das Recht hat, auf seinem eigenen Territorium frei zu leben und selbständig über seine eigene Zukunft zu entscheiden. Zu den Zeiten, als Nicolaus Copernicus an der Krakauer Hochschule studierte, stammte die Hälfte der Studenten aus Orten, die außerhalb der Grenzen Polens lagen.

Für Krakau als Hauptstadt Polens begannen damals die Goldenen Jahre. Aus entfernten Ländern Europas kamen vom Verlangen nach Ruhm und Geld getriebene Menschen, und sie blieben hier, bezaubert von der andersartigen polnischen Kultur, der Gastfreundlichkeit und Toleranz. Anziehend wirkte der königliche Hof, die nahegelegene Krakauer Akademie und der imponierende Ruhm der Jagellonendynastie. Die Ankömmlinge stärkten die Reihen der Krakauer Bürgerschaft, bewarben sich um hohe Ämter und Adelstitel und erwarben Häuser und Paläste. Mit der Zeit zeugten nur die Namen von der fremdartigen Herkunft ihrer Besitzer, und auch sie nahmen allmählich einen polnischen Klang an. Die Ankömmlinge aus dem Westen brachten ihre Trachten, Sitten und Gebräuche mit. Niemals zuvor oder danach hat die Stadt einen dermaßigen Grad des Vermögens erreicht wie in den Jahren der Renaissance, wodurch es möglich wurde, kostspielige Umbauarbeiten in Angriff zu nehmen. Vielleicht hat gerade die spätere allmähliche Verarmung der 1596 ihrer hauptstädtischen Würde enthobenen Stadt verursacht, daß hier so viele architektonische Baudenkmäler erhalten blieben, die aus jener glänzenden Epoche der Renaissance stammen. Das auf das politische Nebengleis abgestellte Krakau wurde zum Mekka zahlloser Pilger, die auf der Wawelanhöhe ihren Geist und Glauben stärkten. Doch als geheiligter Ort war es von nun an keine Stadt mehr, in der man an die Zukunft dachte. Auch die polnischen Könige dachten an Krakau schon nur als Ort ihrer ewigen Ruhe.

Als 1596 König Sigismund II. sich mit seinem Hof nach Warschau begab, war es aus mit der Blütezeit der einstigen Hauptstadt. Auf dem Gipfel des "goldenen Jahrhunderts" stand sie plötzlich vor dem Abgrund des Vergessens, in den sie allmählich zu versinken begann. Die Niederschlagung des gegen Rußland und Preußen gerichteten Kościuszko-Aufstands

(1794) besiegelte endgültig das Schicksal Krakaus und Polens. Die aus dem Dom geraubten Krönungsinsignien schmolzen die Preußem alsbald in Goldbarren um, und die Russen verschleppten die herrlichen Bildteppiche der Jagellonen nach Petersburg, von wo sie erst nach anderthalb Jahrhunderten zurückkehren sollten.

Krakau gelangte von einer Hand in die andere, von einer Herrschaft unter die andere. Die Preußen gingen, die Österreicher kamen, um die Stadt erst 1809 unter dem Ansturm der sich durch Polen wälzenden napoleonischen Armeen zu verlassen. Für einige Jahre verblieb Krakau in den Grenzen des Herzogtums Warschau, doch auch das von Napoleon gebildete Herzogtum hörte auf zu existieren, als der Stern des Kaisers der Franzosen endgültig verblaßte, und mit ihm alle allzu hochgeschraubten Hoffnungen auf eine Wiedergeburt des unter Preußen, Österreich und Rußland aufgeteilten polnischen Staates. Bis zum Jahre 1846 bestand Krakau als neutrale Freistadt, verlor aber nach einem Aufstand gegen die Österreicher ihre Autonomie und wurde der Habsburger Monarchie einverleibt, in der sie bis zur Erlangung der Unabhängigkeit Polens im Jahre 1918 verbleiben sollte.

Der Zweite Weltkrieg hat in Polen viele historische Bauwerke von der Bildfläche verschwinden lassen und die Kontinuität der materiellen Kultur des polnischen Volkes unterbrochen. Krakau blieb jedoch stehen, fast wie durch ein Wunder. Umso größer war sein Wert nach dem Krieg, als es erneut beinahe zum mythischen Symbol Polens, der Ruhestätte der Könige wurde, die selbst die unmenschlichste Zeit des 20. Jahrhunderts zu überdauern verstand.

Die Tatsache, daß die Stadt unversehrt die Hölle des Zweiten Weltkriegs überstand, wurde jedoch mittelbar Ursache ihres späteren Dramas, das sich aus dem mangelnden Interesse für den Zustand der Krakauer Baudenkmäler ergab. Warschau und Danzig sind aus Ruinen wieder auferstanden, Hütten und Bergwerke wurden in Betrieb genommen. Dem alten, "bürgerlichen" Krakau schrieben die damaligen Verantwortlichen die Rolle eines Freilichtmuseums zu. In jener Zeit begannen Schimmel und Pilz die Krakauer Mauern zu überziehen, die Türme und Kuppeln der Kirchen umhüllte eine von Jahr zu Jahr dichter werdende Wolke industrieller Abgase. Die Krakauer Luft, die nie besonders gesund war, wurde immer mehr mit Fluor und Schwefeldioxid angereichert. Die mit überschwenglichem Lob bedachten industriellen Investitionen der Nachkriegszeit stellten schon bald nicht nur eine Bedrohung der Bauwerke, sondern auch der menschlichen Gesundheit dar. Schließlich schlug man Alarm: Krakau geht unter! Eingeleitet wurde eine große Aktion zur Rettung der Stadt, die mit unterschiedlicher Intensität und Wirksamkeit seit 1961 andauert. Wenn man die Aufnahmen dieses Bildbandes betrachtet, sollte man nicht vergessen, daß es das Portrait einer kränkelnden Stadt ist, für deren Rettung Milliarden von Zloty und mehrere Jahrzehnte erforderlich sein werden. Das ist der Preis, den wir heute für die Erhaltung des Vergangenen zahlen müssen, das wir nicht immer verstanden haben zu schätzen und zu schützen.

Krakau war und ist eine Stadt, in der Gegensätzlichkeiten aufeinandertreffen und in friedlicher Koexistenz untereinander auskommen. Zu ihrem intellektuellen Kapital gesellen sich neben einheimischen polnischen Traditionen auch jene des italienischen und deutschen Bürgertums und die jüdische Philosophie der heute eingemeindeten Nachbarstadt Kazimierz. All das war von Nutzen im 19. Jahrhundert, als man politische Schwäche und ökonomische Entbehrung mit ideellen Werten zu lindern versuchte. Das politisch neutralisierte Krakau schöpfte nun seine Kraft aus der Anwesenheit bedeutsamer Persönlichkeiten mit Geist und Talent, die wie einst aus den verschiedensten Orten des geteilten Landes hierher gekommen waren — aus Orten, in denen freie Gedanken ein wesentlich schwereres Dasein hatten als hier unter österreichischer Herrschaft. Dieses Gemisch verschiedener Temperamente und Gemüter hat bewirkt, daß für den Krakauer Skeptizismus, etwas Melancholie, eine Prise eleganter Spöttelei und ganz gewöhnliche Drolligkeit typisch sind. Im Schmelztiegel der verschiedensten Glaubensbekenntnisse, Auffassungen und Ideen kristallisierte sich das spezifische Klima einer Stadt heraus, die tolerant genung gegenüber allem Neuen ist, zugleich aber allzu heftigen und radikalen Veränderungen reserviert gegenübersteht. Im Krakau von heute spüren wir einen Hauch der einstigen, etwas schläfrigen Stadt vor Jahrzehnten von Jahren, in der die Erinnerungen an die Zeiten der Kaiser und Könige von Generation auf Generation weitergegeben werden, in der die Realitäten der gegenwärtigen Epoche unwillkürlich mit der Atmosphäre jener, unwiderruflich vergangenen Epoche verschmelzen.

Für Adam Bujak ist das Photographieren von Krakau eine Art Mysterium. Er bekundet in den Aufnahmen seine Ehrfurcht vor der Zeit, welche die Mauern hat brüchig werden lassen und in den Kirchengewölben zu verharren scheint. Hinzu kommt seine ganz persönliche Faszination für die Eigenart dieser mit der tausendjährigen christlichen Tradition des Volkes verbundenen Stadt. Bujak zeigt eine von unserer Gegenwart losgelöste Stadt, er konzentriert sich auf das, was wir als Erbe von der Vergangenheit erhalten haben. Das photographische Schaffen Bujaks ist begleitet von der Faszination für eine vergangene Welt; er steht wie in einem Bann der Vergangenheit, von der uns steinerne Sarkophage, Bauten, Kunstwerke und die Erinnerung geblieben ist. Die wie Krakau am Rande einer ökologischen Katastrophe stehende Stadt stellt dem empfindsamen Beobachter die Frage nach dem Schicksal des Erbes der Vergangenheit, das im Rauch der industriellen Zivilisation verfällt. Bei der Zusammenstellung seines nun schon vierten Bildbandes über Krakau ist Adam Bujak mit dem Photoapparat an unzugängliche oder nur wenigen zugängliche Orte vorgedrungen. Der Apparat wurde hier zum optischen Instrument, durch welches wir all das bemerken, was wir sonst überhaupt nicht wahrnehmen würden. Krakau ist dazu angetan, über Leben und Vergänglichkeit nachzudenken. Adam Bujak will in den Bildkadern einen Teil seiner eigenen Eindrücke und Empfindungen festhalten; er möchte diesen einen, einzigen Augenblick, der sich unter den gleichen Umständen schon nicht mehr wiederholen wird, vor dem zerstörenden Einfluß der Zeit bewahren.

Die Zeit verging und vergeht in Krakau langsam, aber vielleicht kann man sie gerade deshalb ausgewogener erleben und mit mehr Besinnlichkeit, die gegeben ist durch den hier möglichen täglichen Kontakt mit der Vergangenheit, welche sich uns als Geschichte vorübergehender Menschen, Ideen und großer Bewegungen zeigt und welche uns lehrt, daß mit allzu großer Flamme brennende Leidenschaften schnell zu einer Handvoll Asche werden.

Dieses Krakau besteht weiter. Es hat verschiedene Schicksalsschläge und Konjunkturen erlebt. Es verfiel und kam wieder zu sich, wie von einer Kraft unterstützt, deren Quellen niemand ganz und gar zu ergründen imstande war und ist.

Bilderläuterungen

PANORAMEN

Aus den Weichselnebeln und dem Dunkel der Geschichte zutage tretendes Krakau. Der aus dem 13. Jahrhundert stammende Grundriß der städtischen Bebauung ist in unveränderter Form bis heute erhalten geblieben.

1. Alt-Krakau — eine städtebauliche Anlage von allerhöchstem Wert
2. Die Wawelanhöhe — einst Residenz und Krönungsstätte der polnischen Könige
3. Das Königsschloß — Erinnerung an die ruhmvollen Zeiten des polnischen Staates
4. Reste der zu Beginn des 19. Jahrhunderts abgetragenen mittelalterlichen Befestigungsanlagen. Florianstor, eines von sieben Toren der mittelalterlichen Stadt, und Barbakane, ein gotisches Bollwerk aus dem ausgehenden 15. Jahrhundert, das unter den in Polen noch vorhandenen mittelalterlichen Verteidigungsanlagen besonders sehenswert ist
5. Ein grüner Parkgürtel hat den zugeschütteten Stadtgraben und die abgetragenen Stadtmauern ersetzt. Die Peter-und-Paul-Kirche und die Andreaskirche stehen an der Burgstraße, dem sog. Königsweg
6. Annenkirche mit anliegenden Universitätsgebäuden
7. Blick von der Wawelanhöhe aus
8. Den zum Gedenken an den polnischen Nationalhelden Kościuszko in den Jahren 1820—1823 aufgeschütteten Hügel umgeben österreichische Forts aus dem 19. Jahrhundert, die an die Zeiten der Festung Krakau erinnern
9. Kazimierz — einst eine von Kasimir dem Großen gegründete selbständige Stadt — ist jetzt ein Teil von Krakau
10. Kazimierz von der Wawelanhöhe aus. In der Ferne zwei gotische Kirchen: Katharinenkirche und Fronleichnamskirche

KRAKAUER NACHT

Wenn die Straßem veröden, regen sich die Geister...

11. Lichtspiele auf dem Wawel
12. Die den Alten Markt beherrschende Basilika der Allerheiligsten Jungfrau Maria, kurz Marienkirche genannt, war die Hauptkirche der Krakauer Bürgerschaft. Ihr ältester Teil — der Chorraum — entstand Mitte des 14. Jahrhunderts. Vom höheren gotischen Turm aus ertönt seit Jahrhunderten ein stündlich auf der Trompete geblasenes Turmlied, dessen Tradition auf die Zeit der Tatarenüberfälle zurückgeht
13. Teilansicht der Tuchhallen, der einstigen Krämerläden aus dem 13. Jahrhundert
14. Tuchhallen und Rathausturm nach einem Regen
15. Arsenal — ein erhaltenes Stück der Fortifikationen
16. Das von T. Rygier entworfene Mickiewicz-Denkmal und die romanische Adalbertkirche am Alten Markt
17. Eingang zum Kloster der Paulaner ''auf dem Felsen''
18. Der Weiher des hl. Stanislaus vor der Kirche St. Michael ''auf dem Felsen''
19. Die Kirche St. Michael ''auf dem Felsen''. Hier nahm im 11. Jahrhundert der Kult des hl. Stanislaus seinen Anfang
20. In der Gruft der Kirche ''auf dem Felsen'' befinden sich viele Gräber bedeutender polnischer Persönlichkeiten. Sarkophag des von Krakau beseelten Dramatikers und Malers Stanisław Wyspiański
21. Hinter den Bäumen des Parkgürtels schimmert die Kuppel der Peter-und-Paul-Kirche. Die Kirche war das erste für den Jesuitenorden in Krakau errichtete Gotteshaus (1597—1630)
22. Standbilder der Apostel vor der Peter-und-Paul-Kirche
23. Romanische Mauern der Andreaskirche und Apostelfiguren
24. Tor in der Umfriedung der Andreaskirche
25. Von C. Godebski geschaffenes Copernicus-Denkmal vor der Universität, an welcher der große Astronom einst studierte
26. In den Jahren 1670—1680 erbaute Bernhardinerkirche
27. Von Kasimir dem Großen gestiftete Fronleichnamskirche in Kazimierz
28. Prämonstratenserinnenkloster in Zwierzy-niec aus dem 12. Jahrhundert. Sein gegenwärtiges Aussehen verdankt es einem im 17. Jahrhundert erfolgten Umbau
29. Ein alter Brauch in neuzeitlicher Illumination — Johannisfeier an der Weichsel

AM PARKGÜRTEL

Planty — so wird in Krakau der Parkürtel genannt, der zu Beginn des 19. Jahrhunderts anstelle der abgetragenen mittelalterlichen Stadtmauern und des zugeschütteten Stadtgrabens entstand.

30. Die Pariser Oper diente dem Architekten J. Zawiejski als Vorbild beim Entwurf des vor hundert Jahren entstandenen Słowacki-Theaters
31. Der Herbst ist eingezogen
32. Das Florianstor bildete einen Teil der städtischen Befestigungen. Das einstige Prunktor der königlichen Stadt von der Barbakane aus gesehen
33. Türmchen der Barbakane. Dieser alte Torzwinger ist ein authentisches Stück Mittelalter in Krakau

AUF DEM SCHLOSSBERG

Historisches Erbe aus Stein, Zeuge der tausendjährigen Geschichte des polnischen Volkes. Zu Beginn errichtete man hier einen Bischofssitz, dann eine gotische Burg und schließlich entstand die prächtige Renaissance-Residenz des Königs, die man in ganz Polen nachzuahmen versuchte.

34. Der Dom auf dem Schloßberg — Krönungsstätte der polnischen Könige. Dem gegenwärtigen Gotteshaus waren zwei romanische Bauten vorausgangen. Den ersten Dom hatte man schon zu Beginn des 11. Jahrhunderts in Angriff genommen
35. Im Dom. Feierlicher Abschluß der Stanislaus-Prozession, die alljährlich, entsprechend der jahrhundertelangen Tradition, vom Paulanerkloster „auf dem Felsen" zum Dom auf dem Schloßberg führt
36-37 Von J. Mehoffer entworfene Mosaikfenster im Dom

38. In der Schatzkammer des Doms — die Lanze des hl. Mauritius. Kaiser Otto III. hat sie im Jahre 1000 dem Herzog Bolesław Chrobry in Anerkennung der Souveränität des polnischen Herrschers überreicht

39. Christusgrab im Dom

40. 70. Jahrestag der Erringung der Unabhängigkeit Polens am 11. November 1988. Hauptfeierlichkeit im Dom

41. Vergoldete Kuppel der Sigismundkapelle

42. Schloßkapelle

43. Grabmal des letzten Jagellonenkönigs Sigismund August in der Sigismundkapelle, der man im 19. Jahrhundert die Bezeichnung „Perle der Renaissance nördlich der Alpen" gab

44. Das Grabmal des Begründers der Jagellonendynastie, des Königs Ladislaus II. Jagello, stammt aus der ersten Hälfte des 15. Jahrhunderts

45. Ladislaus Jagello. Das Grabmal ist eines der bedeutendsten bildhauerischen Werke der Gotik

46. Königin Hedwig. Ausschnitt des 1902 von A. Madeyski angefertigten Sarkophags, in den man die sterblichen Überreste der Königin aus ihrem Grab neben dem Hauptaltar umgebettet hatte. 1987 hat man nach der Beatifikation der Köngin die Gebeine in einem Altar des Seitenschiffes beigesetzt

47-48. Königsgräber in der Gruft des hl. Leonard, des ältesten Teils des Doms — eines der wertvollsten romanischen Gewölbe in Polen. Die polnischen Könige wurden seit 1333 im Krakauer Dom beigesetzt

49. Marienrotunde — ältestes Bauwerk in den unteriridischen Gewölben des Schlosses

50. Ein Dom und Schloß verbindender Gang

51. Renaissance-Kreuzgänge des Schlosses

52. Der Senatorensaal, der größte des Schlosses, mit der Bildteppichsammlung

53-54. Teilansicht der Bildteppiche aus der Sammlung des Königs Sigismund August

55. Kabinett im Sigismundturm — einer der am besten erhalten Schloßräume

56. Gotischer Pavillion — Schlafgemach der Wasakönige

57. Der Überlieferung nach von Johann III. Sobieski bei Wien erobertes türkisches Zelt aus dem 17. Jahrhundert

58. Zimmer im „Hahnenfuß" genannten Schloßflügel aus dem 14. Jahrundert

59. Säulensaal. Nach dem Hofarchitekten Stanislaus Augusts, der die Vorlagen für die im 18. Jahrhundert erfolgte Restaurierung lieferte, wird er auch Merlini-Saal genannt

60. Jedes Jahr zieht am Fronleichnamstag die Prozession vom Schloßberg zum Alten Markt

61. Karol Wojtyla und der Primas von Polen, Kardinal Stefan Wyszyński, während der Prozession vom Schloßberg zum Kloster „auf dem Felsen". In den siebziger Jahren, als diese Aufnahme enstand, hat noch niemand vorausgesehen, daß der Krakauer Metropolit einst zum ersten polnischen Papst werden wird

62. Das Königsschloß vom Turm der Bernhardinerkirche aus

63. Der Schloßberg — ein bejahrter Zeuge der wechselvollen Geschichte Polens

AM ALTEN MARKT
Einer der größten mittelalterlichen Marktplätze Europas. Er ist 1257 abgesteckt worden und bis in unsere Zeit hinein Mittelpunkt von Handel und Gewerbe und Stadtverwaltung geblieben.

64. Tuchhallen — die nach einem Brand im Stil der Renaissance wiederaufgebauten einstigen Krämerbuden aus dem 13. Jahrhundert. Ihr heutiges Aussehen verdanken sie den von T. Pryliński geleiteten Restaurationsarbeiten in der zweiten Hälfte des 19. Jahrhunderts

65. Kuppel der aus dem 12. Jahrhundert stammenden Adalbertkirche und der Rathausturm, der alleinige Überrest des in der ersten Hälfte des 19. Jahrhunderts abgetragenen Krakauer Rathauses

66. Blick aus dem Fenster eines Hauses am Markt

67. In Erwartung der Prozession mit dem Tschenstochauer Bilde der Heiligen Jungfrau Maria

68. Marienplatz mit gotischer Barbarakirche. Der hier einst bestehende städtische Friedhof wurde zu Beginn des 19. Jahrhunderts beseitigt

69. Der Marienplatz aus ungewöhnlicher Perspektive

70. Saal im Rathausturm, der von dem einstigen gotischen Rathaus geblieben ist

71. Nach einem Regen...

GOTTESHÄUSER
Wegen seiner vielen Kirchen bezeichnet man Krakau auch als ein polnisches Rom, das jedoch Menschen unterschiedlicher Konfessionen in seinen Bann geschlagen hat.

72. Blick vom Dach der Peter-und-Paul-Kirche zum Kościuszko-Hügel

73. Im Jahre 1477 kam der Nürnberger Bildhauer Veit Stoß nach Krakau, um im Auftrage der Ratsherren den Hauptaltar für die Marienkirche zu schnitzen. Innerhalb von zwöf Jahren vollbrachte er hier das größte Werk seines Lebens

74. Ausschnitt des Mittelteils des Altars

75. Von Veit Stoß angefertigtes Kruzifix am Südschiffaltar der Marienkirche

76. Renaissance-Ziborium aus der ersten Häfte des 16. Jahrunderts in der Marienkirche

77. Adler über der lauretanischen Kapelle in der Marienkirche

78. Reiche liturgische Gewänder. Ein Ornat aus dem ausgehenden 15. Jahrhundert aus der Schatzkammer der Marienkirche

79. Barocke Innenausstattung der Bernhardinerkirche, die in den Jahren 1670—1680 anstelle der von den Schweden eingeäscherten Kirche enstand. Alljährlich finden hier Konzerte des Festivals „Musik in Alt-Krakau" statt

80. Ein 1911 von T. Popiel gemaltes Panorama des Christusgrabes in der Bernhardinerkirche

81. „Die heilige Anna selbdritt" in derselben Kirche. Die aus dem 15. Jahrhundert stammende gotische Figur trägt typische Merkmale der Werkstatt des Meisters Veit Stoß

82-83. Kruzifix in der Florianskirche. Der heilige Florian ist der wichtigste Schutzheilige Krakaus. Seine Reliquie ist 1184 nach Polen überführt worden

84. Mittelschiff der gotischen Trinitatiskirche der Dominikaner

85. Die Kanzel in der Andreaskirche stammt aus dem 18. Jahrhundert

86. Detail des Altars in der Katharinenkirche. Die 1363 von Kasimir dem Großen für den Augustinerorden gestiftete Kirche zeigt am besten die klare Linienführung der Gotik. Sie ist ins Weltregister der Baudenkmäer aufgenommen worden

87. Feierlichkeiten aus Anlaß des 1000. Jahrestages der Christianisierung der Kiewer Rus in der Katharinenkirche

88. Ikone in der russisch-orthodoxen Kirche in der Spitalgasse

89. Madonnenbild in der Barbarakirche

90. Mittelschiff der Fronleichnamskirche. Die von Kasimir dem Großen gestiftete Kirche war das bedeutendste Gotteshaus der Stadt Kazimierz und gehört zu den schönsten Beispielen gotischer Kunst in Polen

91. Mittelschiff der Karmeliterkirche, deren Stiftung mit der Person der seliggesprochenen Königin Hedwig in Verbindung gebracht wird

92-93. Marienkapelle in der Karmeliterkirche und Madonnenbild, vor dem — der Legende nach — König Johann III. Sobieski betete, bevor er in die Schlacht bei Wien zog

94. *Memento mori*. Leichname von Ordensbrüdern in den unterirdischen Gewölben des Reformatenklosters. Das Mikroklima der im 17. Jahrhundert ausgebauten Gruft hat eine natürliche Mumifizierung der Leichname bewirkt

95. Kreuzwegkapelle an einer ruhigen Stelle der Reformatenstraße

96. Alte Synagoge in Kazimierz

97. In der alten Synagoge von Kazimierz. Das im 16. Jahrhundert enstandene Gotteshaus gehört zu den wertvollsten Baudenkmälern der ehemaligen Judenstadt

98. Gebete in der 1553 gestifteten Synagoge Remu'h. Das Grabmal des Rabbiners Remu'h — des Sohnes des Stifters dieses Gotteshauses — befindet sich auf dem Friedhof neben der Synagoge

FRIEDHÖFE
Mahnmale der verflossenen Zeit. Mit dem ältesten Krakauer Friedhof, dem 1802 auf dem

Gelände des Vorortes Rakowice angelegten Rakowicki-Friedhof, kann vom Alter her nur noch der Warschauer Friedhof Powązki konkurrieren.

WISSENSCHAFT UND KUNST

Man hat Karakau einst Hauptstadt des polnischen Geistes genannt, und dabei ist es geblieben. Seit mehreren Jahrhunderten ist die Stadt Mittelpunkt der polnischen Wissenschaft und Kultur.

NAMHAFTE KARAKAUER

Die in der Vergangenheit an den Rand des politischen Lebens gedrängte Stadt verstand es, im wissenschaftlichen, kulturellen und religiösen Bereich neue Aufgaben zu finden. Die hier ansässigen Menschen von großem Geist und Tugend haben ihr die Kraft dazu gegeben.

KRAKAUER KOLORIT

Das Besondere an dieser Stadt haben Geschichte, Tradition und Menschen geprägt.

RETTET DIE STADT

Krakaus größter Feind ist die verschmutzte Luft. Zur Rettung der historischen Bauwerke sind Milliarden von Zloty und viele Jahrzehnte erforderlich.

Übersetzt von **Eckehard Kęsicki**

Старый КРАКОВ

Его называют Флоренцией севера или польским Римом, но он всегда останется Краковом, несмотря на те или иные черты, склоняющие к самым различным сравнениям. Краков имеет великую силу оживления памяти, для поляков он уже сотни лет являет собой национальную мистерию. Именно эта особенность города нашла свое отражение в данном альбоме. Феномен Кракова это то, что он живет вопреки всем превратностям судьбы. Вопреки современному индустриализированному миру, который разрушает его как Венецию, как много других городов, записавшихся на страницах многовековой истории европейской культуры.

От времени, когда Ибрагим ибн Якуб — посланец халифа Кордовы — сделал в 965 году запись о Кракове, до 1978 года, когда ЮНЕСКО внесло этот город в список мирового наследия культуры, прошло десять столетий. Все, что случилось за это время, является историей Кракова. В наслоениях прошлого здесь и там сверкает луч великолепия. В подземельях краковских храмов можно найти романские стены, в жилых домах — готические и ренессансные перекрытия и порталы, вверху, на фоне неба, рисуются барочные шатры костельных башен. Куда ни взглянуть — повсюду глаз обнаруживает влияния европейской культуры, имевшей для древней польской столицы огромную притягательную силу. „Тут ты найдешь богатые дома итальянских, фламандских, французских, персидских, турецких, английских купцов... Оправдана здесь поговорка, что если бы не было Рима, тогда Краков был бы Римом" — писал в 1596 году пребывавший здесь участник делегации папского легата.

Трудно точно определить, с какого времени Краков стал главным местом национального культа. С коронации Владислава Локетка в 1320 году, после которой вавельский собор получил привилегию венчания польских королей, или, может быть, еще раньше, в XI веке, когда именно в этом храме стали храниться королевские инсигнии, хотя Краков был тогда провинциальным городом, а местопребыванием архиепископа и местом коронации было Гнезно. Не подлежит сомнению, что началом знатности Кракова был XIV век — уже тогда он был столицей государства и уже тогда обозначилось его присутствие среди других европейских столиц. В вавельском кафедральном соборе уже в это время покоились останки епископа Станислава, чья канонизация (причисление к лику святых) в XIII веке стала символом объединения польского государства. Прежде, чем стать местом национального культа, Краков был уже средоточием культа религиозного.

Столетием зодчих можно назвать XIV век. Воздвигались костелы, ратуша и первые Суконные ряды на Рынке, городские стены и башни, кафедральный собор и королевский замок. Краков был в те годы не только центром королевской власти, но и главным местом религиозной жизни. В средние века могущество Церкви предопределяло значение городов, а краковская епархия принадлежала к богатейшим в Европе. Из Краковской академии — второй в центральной Европе после Пражского университета — ехал в Констанцу Павел Влодковиц, ученый, писатель, правовед и дипломат, чтобы на соборе 1414—1418 годов, ведя от имени польского короля спор с Тевтонским орденом, добиваться права каждого народа свободно жить на своей земле и определять свое будущее. Во времена, когда в краковской высшей школе получал образование Миколай Коперник, половину студентов Академии составляли чужеземцы.

В то время Краков как престольный град Польши вступал в свой золотой век. Из отдаленных стран Европы стекались сюда люди, жаждущие славы и денег — и оставались навсегда, привлеченные своеобразием польской культуры, гостеприимством и терпимостью. Их манили королевский двор и близость Краковской академии, слава династии Ягеллонов. Они усиливали сословие краковских горожан, занимали высокие должности и получали шляхетские звания, становились владельцами каменных домов и дворцов. Со временем одни фамилии свидетельствовали о происхождении их владельцев, но и они постепенно приобретали польское звучание. Пришельцы с Запада привозили с собой костюмы, обычаи и вкусы. После Ренессанса никогда уже город не достиг такой степени благосостояния, без которого были бы ведь невозможны дорогостоящие перестройки. Может быть, именно наступившее впоследствии медленное скудение города, лишенного в 1596 году достоинства столицы, привело к тому, что в нем сохранилось так много архитектурных памятников первых — самых замечательных годов Возрождения. Оттесненный на задворки политической жизни, Краков становился Меккой паломников, устремляющихся на Вавельский холм для ободрения духа и укрепления веры, но освященное место поляков перестало быть городом, в котором думают о будущем. Польские короли тоже мыслили его лишь местом своего вечного отдыха.

Когда в 1596 году король Сигизмунд III Ваза переселился вместе с двором в Варшаву, древняя столица стала увядать. В расцвет золотого века перед Краковом разверзлась бездна забвения, в которой он медленно стал погружаться. Поражение в 1794 году инсурекции Костюшко — национального восстания против России и Пруссии—окончательно предрешило судьбы Кракова и Польши. Заграбленные на Вавеле коронационные драгоценности пруссаки вскоре переплавили в плитки золота, а замечательные аррасские шпалеры были вывезены в Петербург русскими, чтобы возвратиться оттуда только полтора века спустя.

Краков переходил из рук в руки. Из-под одного господства под другое. Ушли пруссаки, вступили австрийцы; эти покинули город лишь в 1809 году, под натиском разразившейся над страной наполеоновской бури. Несколько лет оставался Краков в пределах Варшавского герцогства, но и герцогство, созданное Наполеоном, перестало существовать, когда погасла звезда императора французов, а с ней все упования на возрождение Польши, разделенной между Пруссией, Австрией и Россией. До 1846 года Краков существовал как вольный и нейтральный город, но после антиавстрийского восстания он был лишен своего суверенитета и инкорпорирован в монархию Габсбургов, в которой оставался до момента восстановления независимости Польши — до 1918 года.

Вторая мировая война стерла с лица земли много польских памятников, нанесла много ударов по материальной культуре народа. Уцелел только Краков, уцелел чуть ли не чудом. И тем более возросла его роль после войны, когда он вновь стал почти мифическим символом Польши, некрополем королей, городом, сумевшим выжить даже в годы ужаснейшего для человечества катаклизма XX века.

То обстоятельство, что город вышел нетронутым из ада второй войны, косвенно, однако, стало причиной вскоре последовавшей драмы. Ее вызвала незаинтересованность состоянием памятников Кракова. Вставали из развалин Варшава и Гданьск, возникали новые шахты и заводы, а старый „мелкобуржуазный" Краков был властями обречен на роль музея под открытым воздухом. В это время краковские стены стали покрываться плесенью, башни и купола костелов утопали во все более густеющих промышленных дымах. Краковский воздух никогда не был самым здоровым, но теперь в нем было все больше фтора и сернистого газа. Великие стройки периода послевоенной индустриализации, о которых писались поэмы, стали угрожать не только памятникам, но и здоровью людей. Наконец была объявлена тревога: Краков гибнет. Началась широкая кампания по спасению города. С разной интенсивностью и разными результатами она продолжается с 1961 года. Листая этот альбом, нельзя забывать, что здесь дан портрет города, пораженного недугом, города, спасение которого требует миллиардов злотых и многих десятилетий. Такова цена, какую современности приходится платить за сохранность прошлого — того самого прошлого, которого она не сумела вовремя и должным образом оценить и окружить заботой.

Краков был и остается городом, в котором сталкиваются и мирно сосуществуют друг с другом противоречия. Его интеллектуальный капитал сложился не только из отечественных, польских традиций — свой вклад внесли в него итальянская и немецкая буржуазия, а также еврейская философия сопредельного Казимежа. Все это было использовано в XIX веке, когда политическую немощь и экономическую нужду стали смягчать духовными ценностями. Политически нейтрализованный Краков черпал теперь силу из присутствия людей большого разума и таланта, которые, как в былое время, стекались сюда со всех сторон разделенной чужими страны, из мест, где свободной мысли жилось много труднее, чем под австрийским господством. Эта мешанина разных умонастроений и темпераментов привела к тому, что краковский характер приобрел черты скепсиса и меланхолии, приправленных изысканным остроумием. Бывали краковцы и просто смешными. Здесь кипел котел, в котором сплавлялись разные вероисповедания, взгляды и идеи и выкристаллизовывались особенности города, достаточно терпимого по отношению ко всему новому, но в то же время не любящего слишком резких и радикальных перемен. И в сегодняшнем Кракове мы находим остатки атмосферы спокойного, несколько сонного города давно минувших десятилетий, в котором воспоминания об императорско-королевских временах переходят от поколения к поколению, а реальности нашей эпохи исподволь уживаются с атмосферой былых, безвозвратно минувших годов.

Для Адама Буяка фотографирование Кракова имеет в себе нечто мистическое. Снимая город, он кланяется Времени, которое обволокло патиной стены и задержалось под сводами костелов. Автор очарован спецификой города, связанного с тысячелетней христианской традицией народа. Он показывает этот город, вырванный из нашей современности, и задумывается над тем, что им унаследовано от прошлого. В своем фототворчестве Буяк как бы заворожен минувшим миром, захвачен прошлым, от которого остались каменные саркофаги, строения, произведения искусства и... память. Город, стоящий на краю экологической катастрофы, задает чуткому наблюдателю вопросы о судьбе наследия истории, чахнущего в дымах промышленной цивилизации. Компонируя уже четвертый свой альбом о Кракове, Адам Буяк проник с камерой в места недоступные, или доступные лишь немногим. Его аппарат становится здесь оптическим инструментом, направляющим наше внимание на все то, чего мы сами не заметили бы вообще. Краков склоняет к размышлениям о жизни и бренности бытия. Адам Буяк хочет задержать в кадре частицу собственных чувств и впечатлений, спасти от разрушительного действия времени тот единственный момент, который никогда уже не повторится.

Время в Кракове текло и течет медленно, но, быть может, именно благодаря этому его можно переживать более зрело, с раздумием, которому благоприятствует возможность общаться повседневно с прошлым, с историей смены людей, идей и великих порывов. А прошлое здесь учит, что пылающие слишком большим огнем страсти скорее становятся горстью пепла.

Этот Краков жив. Ему дано было познать доброе и плохое и после каждого упадка он оживал заново, как если бы ему помогала сила, понять которую до конца никто не смог и не сможет.

Подписки к фотографиям

одном из ценнейших романских интерьеров в Польше. Обычай погребения королей в соборе восходит к 1333 году

49. Старейшие сооружения в замковых подземельях — ротонда Пресвятой Девы Марии

50. Переход из кафедрального собора в Вавельский замок

51. Ренессансные галереи Вавельского замка

52. Сенаторский зал — наибольший в замке, с коллекцией аррасских шпалер

53, 54. Фрагменты шпалер из коллекции Сигизмунда Августа

55. Кабинет в башне Сигизмунда III — один из лучше всего сохранившихся интерьеров замка

56. Готический павильон — опочивальня Ваза

57. Турецкий шатер XVII века. Традиционно счиается, что он был захвачен Яном III Собеским под Веной

58. Комната в пристройке XIV века — Куриной лапке

59. Колонный зал, называемый залом Мерлини. Название происходит от фамилии придворного архитектора Станислава Августа. По проекту Доминика Мерлини зал был обновлен в XVIII века

60. Ежегодно в праздник Божьего тела (Пресвятого таинства) из Вавеля на Рынок отправляется крестный ход...

61. Кароль Войтыла и примас Польши Стефан Вышинский в крестном ходе из Вавеля на Скалку. В семидесятых годах, когда был сделан этот снимок, никто не предполагал, что краковский митрополит под именем Иоанна Павла II станет первым папой-поляком

62. Королевский замок — таким он виден с башен костела бернардинцев

63. Вавельский холм — древний свидетель бурной истории Польши

ГЛАВНЫЙ РЫНОК
Одна из наибольших городских площадей средневековой Европы. Распланированная в 1257 году, она по сей день сохранила свой характер административно-торгового центра.

64. Сукеннице — прежние торговые ряды, построенные в XIII веке и восстановленные после пожара в ренессансном стиле. Сегодняшний вид Суконные ряды приобрели во второй половине XIX века, после реставрации, произведенной архитектором Томашем Прылиньским.

65. Купол костела св. Войцеха (XII век) и башня ратуши — остальная часть ратуши была снесена в I-й половине XIX века

66. Вид из окна старого дома на Рынке

67. В ожидании проезда копии образа Пресвятой Девы Марии, находящегося в Ясногурском монастыре в Ченстохове

68. Мариацкая площадь с готическим костелом св. Варвары. Существовавшее здесь городское кладбище было ликвидировано в начале XIX века

69. Немногие смотрят на Мариацкую площадь с такой перспективы

70. Зал в башне ратуши — только она осталась от готического здания

71. После дождя...

ХРАМЫ
Из-за множества католических церквей Краков был назван польским Римом. Но привлекал он к себе людей разной веры.

72. С крыши костела св. Петра и Павла открывается вид на Курган Костюшко

73. В 1477 году из Нюрнберга в Краков приехал Фейт Стош, впоследствии переменивший свою фамилию на Вит Ствош. Он прибыл сюда, чтобы по заказу городского совета вырезать главный алтарь костела Пресвятой Девы Марии, называемого Мариацким. В течение двенадцати лет он изваял величайшее произведение своей жизни

74. Фрагмент центральной части алтаря

75. Вырезанное Витом Ствошем распятие в алтаре южного нефа Мариацкого костела

76. Ренессансный киворий I-й половины XVI века в Мариацком костеле

77. Орел над Лоретской капеллой в Мариацком костеле

78. Богатство литургических облачений. Риза конца XV века в сокровищнице этого же костела Пресвятой Девы Марии

79. Барочный интерьер костела бернардинцев, построенного в 1670-80 годах на месте разрушенного шведами храма. Каждый год здесь устраиваются концерты фестиваля „Музыка в старом Кракове”

80. Панорама гроба Господня в костеле бернардинцев, написанная в 1911 году Тадеушем Попелем

81. „Св. Анна с Девой Марией и Младенцем” в этом самом костеле. Готическая скульптура XV века носит черты мастерской Вита Ствоша

82, 83. Распятие и интерьер костела св. Флориана, первого покровителя Кракова, реликвии которого были привезены в Польшу в 1184 году

84. Главный неф готического доминиканского костела св. Троицы

85. Амвон в костеле св. Андрея был исполнен в XVIII веке

86. Фрагмент алтаря в костеле св. Екатерины. Костел, построенный в 1363 году королем Казимиром Великим для ордена августинцев, сохранил чистейшие формы готического стиля. Внесен в мировые списки памятников культуры

87. Торжества 1000-летия крещения Киевской Руси в костеле августинцев

88. Икона в православной церкви на Шпитальной улице

89. Юровецкая Мадонна из костела св. Варвары

90. Главный неф костела Божьего тела. Построенный на средства, пожертвованные Казимиром Великим, он был главной церковью города Казимежа. Принадлежит к числу прекраснейших памятников готического искусства в Польше

91. Главный неф костела кармелитов, основание которого связано с личностью королевы Ядвиги, причисленной к лику блаженных

92, 93. Капелла Пресвятой Девы Марии в костеле кармелитов и образ Мадонны, перед которым, как гласит традиция, молился король Ян Собеский III перед венским походом

94. „Мементо мори” — помни о смерти. Останки монахов в подземельях монастыря реформатов (ветвь ордена францисканцев). Микроклимат крипты костела, построенного в XVII веке, способствовал естественной мумификации тел

95. Капелла Крестного пути в закоулке Реформатской улицы

96. Старая божница на Казимеже

97. Интерьер Старой божницы на Широкой улице. Построенная в XVI веке, божница является ценнейшим историческим памятником бывшего еврейского города Казимежа

98. Моление в божнице Ремух, заложенной в 1553 году. Гробница раввина Ремуха — сына основателя божницы, находится на кладбище у стен синагоги

КЛАДБИЩА
Напоминание о былом. Старейшее, Раковицкое кладбище было основано в 1802 году, на территории подкраковской деревни Раковице. По возрасту оно уступает только варшавским Повонзкам

99. Раковицкое кладбище

100. День Поминовения усопших (2 ноября) на Раковицком кладбище. Гробница семьи Войтыл

101. Военное кладбище в новой части Раковицкого кладбища

102. Еврейское кладбище на Медовой улице — все здесь напоминает об еврейском городе на Казимеже

103. Город живых и мертвых — новое кладбище в Подгуже

НАУКА И ИСКУССТВО
Краков был назван столицей польского духа — и так осталось. Вот уже несколько столетий город остается центром польской науки и культуры.

104. Вход на галереи Коллегиум майус

105. Университетская сокровищница

106. Старейший университетский скипетр был исполнен в XV веке

107, 108. Глобус неба и астролябия середины XV века, а также копия астрономического инструмента, которым пользовался Миколай Коперник. Из собрания Университетского музея

109. Колодец во внутреннем дворе Коллегиум майус

110. В конце XIX века университет получил здание Коллегиум новум

111. Открытие академического года в Ягеллонском университете

112. Почетное докторское звание Ягеллонского университета — Каролю Войтыле (прежняя фамилия папы римского Иоанна Павла II), во время второго паломничества папы в Польшу

113, 114. Мебель городского дома. Серебряный петух, по свидетельству летописцев подаренный Курковому (петушиному) братству — стрелковой гильдии — последним из Ягеллонов, Сигизмундом Августом. Из собрания Исторического музея

115–117. Сосуды из раскопок на территории краковского района Нова-Гута, скифские золотые серьги из окрестностей Киева и мечи бронзового века в собраниях Археологического музея

118. Этрусские саркофаги в собраниях Музея Чарторыских (Чарторижских)

119. Трофеи, захваченные войсками Яна III Собеского в венской битве — фрагмент шатра и турецкие бунчуки, а также кольчуга гетмана Миколая Сенявского. Из собрания Музея Чарторыских

120. „Дама с горностаем” Леонардо да Винчи в собраниях этого же музея

КРАКОВЦЫ

Город, оказавшийся на задворках политической жизни, создал себе взамен другие функции: научные, культурные и религиозные. Силой Кракова были люди большого разума и характера. Вот некоторые из них — наши современники:

121. Краковский митрополит кардинал Францишек Махарский в архиепископском дворце

122. Известный на обоих полушариях композитор Кшиштоф Пендерецкий: „Есть нечто завораживающее в этом краковском тумане, я даже не знаю, как он действует, даже не пытаюсь этого описать, это тщетные усилия. Что я могу добавить к словам, уже высказанным людьми, которых Краков заворожил как и меня?”

123. Один из авторов успехов Старого театра — режиссер сцены и кино Анджей Вайда

124. Живописец и создатель театра „Крико” Тадеуш Кантор: „Наконец-то у меня есть то, чего мне было надо: индивидуальная жизнь. Моя! А ведь стократ индивидуальная. Я могу вывести ее на сцену...”. Еще недавно он был с нами

125. В своем краковском кабинете получивший международную известность автор научной фантастики Станислав Лем опережал человеческое воображение

126. В мастерской живописца Станислава Родзиньского

127. Художник Ежи Новосельский у своего произведения в краковской православной церкви

КРАСКИ ФОЛЬКЛОРА

Колорит этого города всегда создавался историей, обычаями и людьми.

128. Шествие Куркового братства двигается из-под Барбакана

129. Передача инсигний власти в Курковом братстве

130–132. Испокон веков, каждый год в Великий пост через костел францисканцев шествует крестный ход Архибратства страстей Господних

133. Игры соотечественников из-за рубежа в Кракове в 1988 году. Историческая инсценировка на Рынке

134. Декабрьский конкурс рождественских архитектурных моделей — яслей на Рынке

135. Воспоминание об Яне Качаре — „заколдованном извозчике” из стихотворения Константы Ильдефонса Галчиньского

136—140. На устраиваемые в июне Дни Кракова из-под монастыря норбертанок на Звежинце двигается в поход Лайконик со своей свитой. Красочный обряд устраивается в память отражения в XIII веке татарских полчищ

НА ПОМОЩЬ ГОРОДУ

Самым лютым врагом Кракова является отравленный воздух. Чтобы спасти памятники прошлого, нужны миллиарды злотых и многие десятилетия

141. Так с известняковых утесов Кшеменок выглядит ратуша на Казимеже. Виден фрагмент Вавельского замка

142. Вид в сторону монастыря норбертанок и Кургана Костюшко

143. Старый Краков — город, внесенный в список мирового наследия культуры...

144. ...и один из тех городов Европы, над которыми повисла наибольшая экологическая угроза

145. Так в загрязненном воздухе Кракова дряблеют камни...

Перевела: **Эльжбета Закшевская**

222

WYDAWNICTWO „BARAN I SUSZEZYŃSKI"
KRAKOW 1993
Wydanie II. z gotowych diap. SiT
Druk i oprawa Gorenjski Tisk, Slovenija